Piranèse

Les Editions Bibliothèque de l'Image remercient la
médiathèque du Pontiffroy à Metz pour sa
précieuse collaboration, et plus particulièrement,
son conservateur, Monsieur Wagner, qui leur a si
aimablement permis d'utiliser l'édition de la
Chalcographie des Frères Piranèse (Paris, 1800).

Conception graphique : Alessandra Scarpa

Piranèse

Janine Barrier

Historienne de l'art, Centre Ledoux (Université de Paris I, Panthéon-Sorbonne)

Bibliothèque de l'Image

Piranèse 1720-1778

Giovanni-Battista Piranesi –Piranèse–, figure majeure du XVIIIe siècle, est un artiste visionnaire d'une étrange originalité. Il est surtout connu pour ses gravures, presque mille en tout, techniquement parfaites comme en témoignent ses *Vedute di Roma*. Il est doué d'une imagination exceptionnelle, qui lui permet de transposer la réalité dans le domaine du fantastique, et parfois jusque dans un irréel qui atteint la démesure. Ses reconstitutions de l'architecture antique sont à la fois le produit d'un esprit exalté, et d'une intelligence pénétrante, guidée par la «raison» chère au siècle des Lumières.

Mais il a aussi fait œuvre d'architecte à Santa Maria del Priorato. Son activité dans ce domaine n'est toutefois pas encore entièrement étudiée, pas plus du reste que celle de théoricien de l'architecture. Mieux connu est son rôle de «designer»; ses cinquante deux planches de vases et objets décoratifs, et les soixante douze autres de cheminées constitueront une source d'inspiration pour plusieurs générations d'architectes européens.

Au milieu du siècle, Rome est le centre d'une intense activité intellectuelle. L'élite internationale des amateurs et des érudits, parmi laquelle on peut citer le comte de Caylus et Johann Winckelmann, débat des problèmes du *Beau*, *absolu* ou *relatif*, et dans cette quête esthétique, vient consulter les témoins d'une civilisation portée au pinacle. Ces réflexions conduiront à l'élaboration du néo-classicisme, dans laquelle Piranèse joue un rôle déterminant de catalyseur, à tel point que le terme de piranésisme a été forgé pour le désigner.

Piranèse graveur

De Venise à Rome

Piranèse naît sur la terre ferme de Venise en 1720. Très jeune il apprend l'art de bâtir auprès de son père, tailleur de pierre, puis entrepreneur de maçonnerie. Chez son oncle Matteo Lucchesi, architecte de renom et ingénieur, il s'initie non seulement à l'architecture, mais aussi aux problèmes techniques de construction des ponts, des ports et des digues. Celles-ci sont de toute première importance pour une ville qui doit se protéger des incursions de l'Adriatique. Piranèse n'a pas bon caractère, l'oncle Matteo non plus, ils se brouillent, et le jeune homme continue sa formation chez Giovanni Scalfarotto. Il apprend en outre à élaborer des décors de théâtre avec les frères Valeriani, un complément à la formation de tout architecte dans une ville où le théâtre et l'opéra règnent sans partage. Il devient familier de la «scena per angolo», une innovation de Ferdinando Galli, dit Bibiena, et de ses frères, «les Bibiena», innovation dont il fera usage plus tard dans ses gravures.

Il est par ailleurs fortement marqué par le mouvement théorique, qui se développe autour de l'enseignement de Carlo Lodoli. Lodoli a été influencé par la réflexion critique, concernant l'essence même de l'architecture, qui s'était instaurée en France dans la première moitié du XVIIIe siècle. Déjà Perrault, dans sa traduction de *Vitruve* en 1673, avait relativisé la doctrine de ce dernier, par de nombreuses notes critiques. Puis, plus récemment, Amédée Frézier conteste la valeur universelle que l'âge humaniste avait accordée aux ordres gréco-romains. Lodoli radicalise la démarche, et attaque la base même des théories de Vitruve. En revanche il attire l'attention sur les ressources propres de la civilisation romaine, et sur ses origines étrusques. Le jeune Piranèse se forge alors des conceptions dont il ne se départira pas. Son imagination déjà féconde est, de plus, nourrie par les récits et les légendes héroïques de l'Antiquité, que lui conte son frère Angelo, moine carthusien. Il rêve de Rome.

En 1740 l'occasion se présente pour lui de réaliser ce rêve : il se joint, en tant que dessinateur, à la suite de l'ambassadeur de la République de Venise, qui doit remplacer Marco Foscarini dans la Ville Eternelle. La Rome qu'il découvre comble son attente. Les fragments antiques émergent à peine du sol, mêlés à la végétation, mais son imagination lui permet sans peine de faire resurgir, en esprit, la grandeur de la ville aux temps impériaux. Les basiliques romaines et les constructions baroques ne l'enthousiasment pas moins. La Ville Eternelle a connu récemment une vague de constructions, et quelques chantiers demeurent encore. La façade de Saint-Jean-de-Latran de Galilei, le palais de la Consulta de Ferdinando Fuga sont terminés depuis quelques années, et Nicola Salvi vient d'entreprendre la réalisation de la Fontaine de Trevi. On a souvent écrit que dans un tel contexte un jeune architecte avait peu de chances de faire carrière, et que Piranèse n'avait trouvé d'autre moyen pour gagner sa vie, que de chercher un emploi chez un graveur. Cependant la dédicace de son premier ouvrage, *Prima Parte d'Architetture e Prospettive*, semblerait prouver qu'en fait il n'était pas intéressé par un travail architectural de routine, et que, malgré son jeune âge, il n'était pas sans critiquer l'impuissance des architectes contemporains à réaliser des constructions qui égalent celles de l'Antiquité. En attendant de pouvoir mettre à profit les ressources de son génie imaginatif, il s'engage dans l'agence du graveur sicilien, Giuseppe Vasi, où sont produites les multiples «vues de Rome», qu'acquièrent les nombreux visiteurs étrangers, à titre de souvenirs.

Piranèse participe à la production de petites planches gravées destinées à illustrer un guide de la ville. Il y démontre son talent pour émuler, par la gravure, les possibilités de la peinture, et prouve en même temps son sens inné de l'espace urbain.

Il réalise également un certain nombre de gravures, à titre privé. Il s'inspire des tableaux de Giovanni-Paolo Pannini, sortes de «caprices» dans lesquels ce dernier assemble des monuments existants avec une complète fantaisie, mais il les magnifie au gré de son inspiration. Il grave aussi des ruines pittoresques, à la manière de Marco Ricci. Bientôt son imagination «reconstructive» mûrit, et dès 1743 il est en mesure de publier la *Prima Parte*.

Ce premier ouvrage, *Prima Parte d'Architetture e Prospettive*, est composé de dix-huit gravures dont le thème central est l'Antiquité. Ce ne sont toutefois pas de simples reconstitutions de monuments anciens telles qu'en a composé Fisher Von Erlach, mais de purs produits d'une imagination débordante. Il semble que le succès de cette *Prima Parte* n'ait pas été considérable. Cependant le *Pont magnifique*, le *Capitole antique*, le *Vestibule d'un temple antique*, et la *Prison obscure*, pour ne citer qu'eux, vont attirer l'attention des jeunes Français, pensionnaires de l'Académie de France à Rome. Chacune de ces planches inspirera aussi bien des peintres comme Hubert Robert, que des architectes comme Claude-Nicolas Ledoux ou William Chambers.

Peu après, Piranèse effectue un bref voyage vers le sud, afin de visiter les fouilles d'Herculanum. Elles sont entourées d'un grand secret, mais révèlent déjà certains aspects encore inconnus des réalisations antiques. Cependant les revenus du jeune homme s'amenuisent ; il est contraint d'abandonner Rome et de retourner à Venise. Il entre, semble-t-il, dans l'atelier de ce prodigieux génie qu'est Giambattista Tiepolo, alors que celui-ci réalise les plus remarquables de ses décors profanes. En 1744-1745 Tiepolo entreprend les grandioses fresques de la salle de bal du palais Labia, où les scènes en trompe-l'œil du *Banquet de Cléopâtre* sont intégrées dans les éléments de l'architecture intérieure. Il ne pourrait y avoir de meilleure école pour initier Piranèse au dessin de décors, mais surtout à la technique de la grande peinture. A cette époque, il s'essaie, avec succès, à élaborer divers motifs décoratifs, de style rocaille comme il se doit, et en particulier un projet de gondole d'apparat. Mais les dessins de décors pour un palais, qu'il aurait exécutés, n'ont pas encore été retrouvés. De Tiepolo il apprend à être vraiment peintre, à exprimer la couleur dans la gravure. La gravure est un art complet qui se suffit à lui-même.

Frontispice,
*Invenzioni capric.
di Carceri (1745)*
(Focillon 24).

Les Prisons imaginaires

En 1745 il publie la première série des *Prisons imaginaires*, ces «Invenzioni capric. [capricciose] di Carceri». Il semble qu'il ait commencé à graver les quatorze planches dès 1743. Il peut paraître curieux que ces prisons fassent partie de la *Prima Parte*, et pourtant un rapport certain existe entre les temples avec leurs légères colonnades, et les vertigineux *Carceri*; ne serait-ce que l'ampleur des proportions et la vision du colossal. Dès avant que le graveur n'entreprenne ses *Vedute di Roma,* sa puissance d'imagination le pousse à un «au-delà» des temples et des palais. D'ailleurs la seconde gravure de cette *Prima Parte* n'est-elle pas, déjà, une prison obscure avec potence pour le supplice des malfaiteurs? Le sujet a un point de départ connu. C'est le décor créé par l'ornemaniste Daniel Marot pour l'opéra *La prison d'Amadis*, mais lorsque Piranèse le poursuit, en l'amplifiant, il laisse libre cours à ses propres tendances. La conjugaison d'un caractère ombrageux, sombre même, et d'une imagination sans bornes le porte à se complaire dans la représentation de lieux désespérés.

Des voûtes à structure massive se prolongent à l'infini, ne surplombant que quelques passerelles, et des escaliers qui montent et descendent eux aussi à l'infini. Des poutres, des poulies, des treuils, des cordages, mais surtout un certain nombre d'instruments de torture, ajoutent à l'impression de malaise communiqué par cet univers clos. Une lumière blonde vient d'en haut, et le clair-obscur qui règne n'a encore rien d'oppressant. Cependant il faut nettement différencier la première série des *Prisons*, publiée dès 1745, et la réédition de 1761. Les premières planches sont claires et lumineuses, et leur ampleur les rapproche de l'idée que les contemporains se faisaient des monuments étrusques. Ce sont donc de purs «caprices» architecturaux. L'hypothèse, séduisante et romantique, que Piranèse aurait composé les *Prisons* dans un accès de fièvre due à la malaria ne résiste pas à une analyse sérieuse. La première série de gravures rencontre une certaine indifférence, et le graveur reprend les cuivres en 1761, les retravaille et y ajoute deux planches. La comparaison de ces deux séries, séparées ne l'oublions pas par une quinzaine d'années, est fort instructive.

En 1761, Piranèse considère qu'il n'avait réalisé que des esquisses, car sa technique d'aquafortiste était à l'époque encore trop balbutiante. Lorsqu'il retravaille les cuivres, il conserve à peu près les mêmes motifs, mais leur traitement est entièrement différent. Il leur donne une puissance colossale nouvelle, ainsi qu'une effrayante solennité. Il est certain que le caractère ténébreux de ce visionnaire le porte aux sujets funèbres. Il est obsédé par les images inquiétantes, et comme nombre d'artistes de sa génération, il est voué aux œuvres étranges. Les têtes de mort et les instruments de torture hantent ce romantique avant l'heure, et il n'est en rien étonnant que les pages les plus sombres de Victor Hugo aient pris les *Carceri* pour cadre.

Les *Prisons* ne sont pas des projets, elles ne peuvent en aucun cas être réalisées dans la réalité. Elles ne peuvent pas davantage être des mises en scène de théâtre, bien qu'elles gardent le souvenir de tout ce que le graveur a appris chez les frères Valeriani, et dans les ouvrages des Bibiena, car elles ne présentent aucun espace compatible avec une scène. Par ailleurs, comme le fait remarquer Marguerite Yourcenar, elles n'ont rien en commun avec les prisons bien réelles que sont la prison Mamertine à Rome, ou encore les Plombs de Venise que connaissait bien Casanova. Les *Prisons* sont bien des «capricci» d'architecture, sortes de négatifs des palais voûtés, peut-être gravées au cours d'une période de doute et d'anxiété, et dans lesquelles le génie du graveur crée une totale illusion spatiale, à partir d'une maçonnerie monumentale. Son imagination dramatique tire parti de sa grande science du dessin, qu'il met au service d'un sentiment de vertige, et la fantaisie apparente n'est en rien confuse. Piranèse prépare déjà les inventions qui lui seront fort utiles pour ses études archéologiques. Les éléments essentiels des *Carceri* sont la voûte de pierre nue et l'escalier, tous deux multipliés. Les voûtes, qui ne sont jamais vues de face, s'enchevêtrent et forment un ensemble d'angles saillants ou rentrants qui intensifient les effets lumineux. Le point de fuite est généralement situé en dehors de l'image, le sol se dérobe à la vue et donne l'illusion d'une profondeur sans fin. Les hachures sont multipliées, et l'encrage accru jusqu'à noyer certaines structures, et l'on comprend parfaitement pourquoi Victor Hugo et Marguerite Yourcenar après lui, ont attribué cette seconde série des *Prisons* au «cerveau noir» de Piranèse.

Les gravures se vendent mal, et seuls quelques artistes s'en inspirent, ainsi, entre autres, le *Souterrain et sépulcres*, d'après un décor pour *Electre*, sans doute gravé par Desprez, de même que l'*Intérieur de prison avec scène de torture*. Un écho contemporain nous est par ailleurs renvoyé, qui appartient à la littérature britannique, à ces romans dits «gothiques». Horace Walpole semble avoir pensé aux *Carceri* lorsqu'il imagine les sinistres souterrains du Château d'Otrante. De même les «lieux sans fond et sans limites» dans lesquels erre Vathek le héros de William Beckford, sont-ils parfaitement piranésiens.

En France, ce n'est qu'à partir du XIXe siècle que les *Prisons* connaîtront vraiment la célébrité, et plus particulièrement grâce à Victor Hugo et à Théophile Gautier.

En 1747, le marchand d'estampes vénitien Giuseppe Wagner envoie Piranèse à Rome avec mission de vendre des gravures. Celui-ci ne quittera plus la ville qu'il aime par dessus tout, même s'il continue à se donner le titre d' «architecte vénitien». Il renoue avec l'art du décor de théâtre, auquel il s'était initié chez les frères Valeriani, lorsqu'il découvre les mises en scène de Filippo Juvarra pour le cardinal Ottoboni. Commence alors pour lui une nouvelle phase de sa vie, dans laquelle toutes les connaissances qu'il a acquises se fondent, et se trouvent magnifiées par sa propre imagination.

Il ouvre une boutique sur le Corso, en face de l'Académie de France. Elle devient un lieu de rencontres et d'échanges d'idées, fréquenté non seulement par les jeunes Français, qui ont obtenu un premier prix de l'Académie à Paris, mais par de nombreux Britanniques, architectes comme Robert Adam et William Chambers, ou aristocrates qui effectuent leur «Grand Tour», comme Lord Charlemont.

Le graveur prépare plusieurs ouvrages, les *Opere Varie d'Architettur*a, *Prospettive, Grottescchi, Antichità*, qui seront ter-

minées en 1757; les deux volumes de vues de Rome, les fameuses *Vedute di Roma,* auxquelles il travaille depuis son installation sur le Corso, jusqu'à sa mort en 1778; il entreprend à peu près en même temps les *Antichità Romane*. Il accepte alors délibérément de réaliser ses ambitions d'architecte par la gravure.

En réalisant les *Vedute* et les *Antichità*, Piranèse entend prouver la supériorité absolue de Rome, et se faire l'interprète du génie créateur de l'Antiquité auprès de la jeune génération d'artistes. Il ne se considère du reste pas seulement comme un interprète, il commence à s'identifier avec la Rome antique. Le frontispice de la première série des *Antichità* ne le représente-t-il pas comme un buste humain engendré par une pierre taillée monumentale?

Toutes ses gravures sont donc, avant tout, didactiques; elles sont destinées à offrir aux architectes des modèles parfaits pour leurs constructions. Elles permettent en outre d'alimenter les discussions au sein du cercle des pensionnaires de l'Académie, qui débattent et expérimentent. Ainsi sont-ils sensibles à la dramaturgie de l'image, inventée par Piranèse, et qui met en scène sa vision, liée à la réflexion philosophique sur l'écroulement des mondes. Et tous vont bientôt l'appliquer à la présentation de leurs propres dessins d'architecture.

Sur le plan technique, son dessin gravé est beaucoup plus libre, et il a lui-même retrouvé le secret des eaux-fortes vigoureusement colorées.

Les *Opere Varie*, qui paraissent entre 1743 et 1757, sont hétéroclites. Les quatre planches de caprices décoratifs, les *Grotteschi* mêlent ruines antiques, sarcophages, tronçons de colonnes, têtes de mort, ainsi que quelques arbres ou serpents. Leur originalité, leur lien évident avec la mort leur assurent le succès. Legeay, lui-même peintre de «capricci» qui ont sans doute précédé ceux de Piranèse, s'en inspirera vers 1768, lorsqu'il sera à Londres et qu'il gravera les vingt-quatre planches de *Tombeaux, Ruines, Fontaines, et Vases*. Certaines des autres planches des *Opere Varie* renferment les plus puissantes des créations fantastiques de Piranèse, telles que la *Partie d'un vaste port magnifique à l'usage des anciens Romains*, et les *Dépendances de thermes antiques*, qui marqueront fortement plusieurs générations d'architectes, et d'où finalement émergeront les germes du néo-classicisme.

Les *Vues de Rome*

Les cent trente-cinq planches des *Vedute di Roma* sont une œuvre de longue haleine, à laquelle Piranèse travaille toute sa vie, avec une grande régularité, et il y consacre plus d'ardeur que jamais entre 1770 et 1778. Elles auront, du reste, toujours constitué sa principale source de revenus. Elles reflètent assez bien ce qu'était la ville au XVIIIe siècle. Palais et églises voisinent avec les fort nombreux vestiges antiques, qui émergent à peine du sol ou bien sont réemployés dans des constructions plus récentes.

Lorsqu'il les réalise, le graveur utilise toutes les connaissances qu'il a acquises au cours de son éducation très complète. La formation de bâtisseur reçue chez son père, et qui s'accompagne d'une familiarité avec le matériau primordial qu'est la pierre, lui est d'un grand secours. Il faut y ajouter les leçons de l'oncle Matteo, qui lui a transmis sa science des constructions massives que sont les ponts et les digues. Piranèse montre les monuments sous leur angle le plus frappant, afin de mieux les imposer. Ainsi fait-il constamment appel aux techniques de mise en scène, et de décoration de théâtre qu'il a apprises chez les Valeriani.

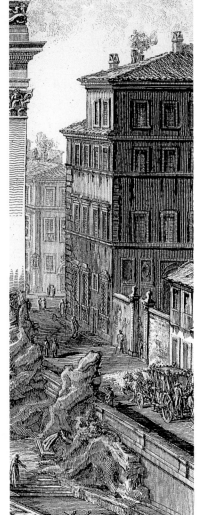
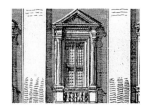

Comme les Bibiena au théâtre, il applique aux *Vues* les principes de la «scena per angolo», qui lui donnent la possibilité de produire des effets étonnants grâce à l'emploi de plusieurs points focaux. Les *Vedute* sont des œuvres dont le caractère exceptionnel est dû à une technique complexe et parfaite, mais également au génie très particulier de leur auteur. En les traitant comme des mises en scène et en leur conférant des qualités picturales, il les élève au rang d'œuvres d'art.

La place prépondérante qu'il accorde aux ruines antiques, et le fait que le frontispice ne fasse aucune allusion à l'architecture moderne prouvent, s'il en était besoin, que l'auteur juge que les bâtisseurs contemporains n'ont jamais égalé ceux des temps anciens. Que pourrait-on en effet comparer avec les Thermes de Caracalla qui laissent deviner, sous les vestiges rongés de leurs murs, une grandeur révolue à jamais. Le Colisée, dont l'extérieur et l'intérieur sont représentés, est si démesuré que Piranèse doit faire appel à la «scena per angolo» pour le restituer dans son intégralité. Malgré leur piètre état de conservation les restes à demi enfouis du Temple de Jupiter tonnant, les voûtes cyclopéennes de la «Villa de Mécène» ou les pans de murs de la Villa d'Hadrien, à Tivoli, sont autant de témoins d'une civilisation qu'il considère sans égale. La Pyramide de Caius Cestius, et le

Panthéon, auquel seul manque son revêtement de marbre, évoquent mieux encore la splendeur passée. La Tombe de Cecilia Metella, sur la via Appia, représente pour Piranèse le paradigme du génie des bâtisseurs romains. Il y reviendra de façon plus détaillée dans les *Antichità*.

Il excelle à rendre les ruines dont les parties manquantes ont été comblées à une époque plus ou moins récente. Ainsi, le Théâtre de Marcellus dont les vides ont été remplis par de modestes logis, et qui forme ainsi une étonnante cité circulaire, le Temple de la fortune virile, ou l'Hadrianeum dont les colonnes sont encore présentes dans le Dogana di Terra de Carlo Fontana. Ainsi le château Saint-Ange, dont les fondations sont le tombeau de l'empereur Hadrien, qui a été transformé en forteresse de la papauté et qui est la parfaite transition entre la Rome antique et la ville moderne.

L'architecture Renaissance est évoquée par quelques planches, telles que celles qui figurent le Capitole ou la façade postérieure de la cathédrale Saint-Pierre, dûs à Michel-Ange, la fontaine dite dell'Acqua Felice, ou le palais Farnese d'Antonio da Sangallo et Michel-Ange. Le baroque, cher à l'artiste, est représenté, entre autres, par la Piazza del Popolo, la Piazza Navona, l'Académie de France, appelée Palais  Mancini par les Français, le palais de Montecitorio et le palais Barberini, ou encore la fontaine dite dell'Acqua Paola. Les constructions contemporaines ne sont pas absentes, et Piranèse accorde la prééminence à deux architectes, Ferdinando Fuga et Nicola Salvi. Le premier a érigé la façade de Sainte-Marie-Majeure et le palais de la Consulta, tandis qu'au second on doit les remaniements du palais Odescalchi, et la toute récente Fontaine de Trevi. Sont aussi gravées la façade, et la nef de Saint-Jean-de-Latran, l'église cathédrale de Rome, dans laquelle la nouvelle abside projetée par Piranèse ne sera jamais réalisée. Nous trouvons encore la façade de l'église Sainte-Croix-de-Jérusalem, et la Villa Albani. Certaines planches reproduisent le même monument, gravé à des dates fort différentes, et qui correspondent à des époques différentes de la maturité de Piranèse. Leur comparaison montre clairement que la technique du graveur évolue au cours des années et que ses eaux-fortes deviennent plus recherchées. Elles sont de plus en plus dignes de la dénomination d' «estampes», car il manie l'outil avec plus de précision. Par ailleurs le regard qu'il porte sur Rome change au cours des années, comme en témoignent les différentes vues de la place Saint-Pierre ou de la pyramide de Caius Sextus.

L'exposition *Piranèse et les Français* (qui s'est tenue à Rome, à Dijon et à Paris en 1976) a mis en évidence le jeu subtil des influences qui circulent entre le Palais Mancini et la boutique du Corso. Les décors de la fête de la «Chinea» (voir note p.31), à l'élaboration desquels participent traditionnellement les jeunes architectes français, permettent de fructueuses comparaisons. Ainsi ceux de Petitot et de Bellicard sont-ils directement inspirés des planches de la *Prima Parte*. Le plan pour un collège

magnifique tiré des *Opere Varie*, chef-d'œuvre d'imagination spatiale, aura un impact de longue durée sur les architectes. Legeay en tirera le plan d'une église circulaire, que William Chambers copiera pendant son séjour romain, et Marie-Joseph Peyre gravera en 1765, dans le même esprit, le Projet pour des Académies. Les exemples pourraient être multipliés grâce aux dessins des frères Challe, de Charles-Louis Clérisseau, de Nicolas-Henri Jardin, ou de Joseph-Louis Le Lorrain.

L'architecture polémique
Le débat Rome-Grèce

Tandis que Piranèse exalte la grandeur
de la Rome antique, que les pensionnaires du
Palais Mancini dessinent les monuments, ou effectuent
des relevés de ruines telles que celles des Thermes
de Caracalla, les regards se tournent peu à peu
vers un nouveau centre d'intérêt, la Grèce.
Déjà dans la première moitié du siècle des théoriciens comme
Amédée Frézier et Jean-Louis de Cordemoy avaient attiré
une attention toute théorique sur son architecture, puis le
comte de Caylus, après avoir voyagé au Levant, publie
le *Recueil d'antiquités* en 1752. Mais c'est surtout
Marc-Antoine Laugier, dans l'*Essai sur l'Architecture* (1755),
qui cristallise les idées de la supériorité de la Grèce,
en affirmant que «l'Architecture doit ce qu'elle a de plus
parfait aux Grecs, nation privilégiée à qui il était réservé [...]
de tout inventer dans les Arts». Tous les regards sont
désormais fixés sur la Grèce, et Piranèse se donne
comme mission de consacrer son énergie à la
défense de la Ville Eternelle menacée.

Deux Britanniques, John Stuart et Nicholas Revett,
s'embarquent en 1751 pour Athènes. Ils dessinent les
monuments, dont ils effectuent des relevés très précis.
Le premier volume de leur ouvrage, les *Antiquities of Athens*,
ne paraît qu'en 1762. Entre temps, le Français Julien-David
Leroy passe quelques mois en Grèce en 1754, et se hâte
de publier les *Ruines des plus beaux Monuments de la Grèce,*
en 1758. Son ouvrage n'égale pas celui de Stuart
et Revett, mais il est le tout premier à offrir
des images précises prouvant, sans équivoque
possible, que l'architecture a été inventée
par les Grecs et que les Romains se
sont contentés de les imiter.

Bientôt les ruines de Paestum en Campanie vont
être reconnues comme grecques. Dès 1750, l'architecte
Jacques-Germain Soufflot les avait dessinées,
les attribuant à tort aux Romains.
Et il revient à Johann-Joachim Winckelmann, érudit
allemand qui s'est installé à Rome, d'en attribuer
la paternité aux Grecs. Piranèse est outragé, il n'a plus
le choix, il doit combattre pour la Rome antique.

Dessin préparatoire
de «La Basilique à
Paestum».

Les *Antichità Romane*

Le dernier des quatre volumes des *Antichità* paraît en 1756, un an après l'ouvrage de Laugier, et constitue une première réponse du Romain. La polémique concernant la suprématie de l'architecture grecque commence. Piranèse se place sur le même terrain que ses adversaires, celui des temps anciens.

Il avait déjà entrepris un projet concernant les monuments funéraires antiques, les *Monumenta Sepulcralia Antiqua*. Lorsque la polémique Rome-Grèce exige de lui une réponse vigoureuse, il étend la série de gravures à quatre volumes. Dans les second et troisième il reprend les tombeaux romains, en élargissant le sujet. Il rend alors un premier service aux historiens de l'art, en facilitant l'étude des monuments funéraires, de même que celles des thermes et des ponts. Il crée une méthodologie qui sera la base de l'archéologie moderne. En effet, en dehors de leur rôle de réplique dans la polémique, les *Antichità* révèlent Piranèse comme un véritable «antiquaire», ce que nous appelons aujourd'hui un archéologue. Il maîtrise alors parfaitement la technique de son art et va désormais mettre en œuvre sa sensibilité et son imagination, ainsi que ses connaissances d'architecte et d'ingénieur. Avec cette puissance d'expression visionnaire qui lui est particulière, il va redonner vie aux ruines.
En étudiant et en restituant les monuments, il met en place quelques-uns des principes de l'archéologie moderne. Un monument est un ensemble, et pour le comprendre il faut aller au-delà de son aspect extérieur visible, retrouver son mode de construction, ses éléments constituants, ses fondations. Piranèse profite des pans de mur dégradés afin de retrouver leur structure, et s'il le faut il pratique des fouilles. En ce qui concerne la gravure, ce sont les perspectives obliques et les artifices d'éclairage qui lui permettent, par exemple, de mettre en valeur les détails d'une structure en ruine. Il observe les antiquités romaines à la fois en artiste et en technicien.

Le premier tome comporte le plan de marbre du Capitole, puis les acqueducs, les thermes et le Forum. Il complètera plus tard cette série par le *Campo Marzio*, le *Rovine del Castello dell'Acqua Giulia* et la *Descrizione e Disegno dell'Emissario del Lago Albano*. Il grave deux tomes (II et III) de tombeaux, ces magnifiques témoins de la grandeur de la Rome antique. En effet, d'innombrables vestiges funéraires bordent les grandes voies aux alentours de Rome. Leurs inscriptions poétiques lui permettent de retrouver l'Histoire, avec ses désordres, sa violence, ses grandes actions, mais aussi sa décadence. Seul le tombeau d'Hadrien, au bord du Tibre, est situé dans la Rome papale, dont il est devenu la forteresse sous le nom de Château Saint-Ange. Le tome IV est consacré aux ponts, aux théâtres et aux portiques.

Le succès des *Antichità* ne se fait pas attendre. Il est aussi considérable à Paris qu'à Rome. Tous les hommes de lettres, tous les amateurs et tous les artistes l'achètent. L'ouvrage *Della Magnificenza ed Architettura de'Romani*, préparé entre 1756 et 1761, peut être considéré comme le complément historique et critique des *Antichità*. Deux cent douze pages de texte sont illustrées de quarante planches ou vignettes. Les deux ouvrages défendent les mêmes causes, et sont étroitement associés dans la lutte contre les théories nouvelles. Focillon écrit que Piranèse ne retient des études anglaises sur l'art gothique que le fait «qu'avant la conquête de la Grèce les Romains ignoraient l'art de bâtir et n'étaient que des maçons». Il ajoute que la *Magnificenza* «est à la fois un traité, une apologie, un pamphlet.» Piranèse devient historien, et va chercher dans les systèmes de construction des ponts, des aqueducs, et même des égouts, l'attestation de la suprématie romaine.

Œuvre d'un autodidacte, le texte érudit et pesant n'est évidemment pas toujours probant, car Piranèse s'applique à faire une synthèse impossible. Il pose la question, essentielle à ses yeux, des origines. Il tente de les retrouver chez les Etrusques, niant toute dépendance envers la Grèce. Il compare l'ordre dorique et l'ordre toscan, et montre qu'ils n'ont rien en commun, et qu'il faudrait plutôt chercher la source de l'architecture étrusque chez les Egyptiens. Il tente également de démontrer que, si les Romains ont adopté quelques-uns des principes de l'architecture grecque, ils en ont corrigé les déficiences, et l'ont finalement surpassée. Il met en avant le génie des bâtisseurs romains qui, tout en respectant un ordre et une règle stricts, ont su construire des monuments éternels, auxquels ils ont conféré la beauté grâce à une extrême sobriété. Et il oppose à cette rigueur la luxuriance des ornements grecs. Mais Piranèse n'est pas intellectuellement capable de poursuivre la polémique sur ce terrain.

Les planches de la *Magnificenza* s'attachent tout particulièrement à montrer que la structure des édifices romains est plus fonctionnelle que celle des Grecs. Il détaille la construction de la Cloaca Maxima, et met l'accent sur la stéréotomie. Les minuscules personnages qui s'agitent au sommet sont là pour bien montrer quelle œuvre surhumaine a été la construction de cet égout. Les ordres d'architecture, sur lesquels Laugier avait insisté, sont particulièrement bien représentés, et Piranèse a même recours à l'ironie. Une phrase de Leroy, selon lequel «les chapiteaux ioniques que l'on voit à Rome paraissent pauvres et défectueux» est citée dans la planche où le graveur figure les chapiteaux romains -ceux de Sainte-Marie-du-Transtévère, de Sainte-Marie-l'Egyptienne etc-, et l'on imagine facilement le point d'exclamation féroce qui pourrait y être ajouté. Il multiplie les gravures de chapiteaux, de fûts de colonnes et de bases, puis il détaille le temple d'Agrigente, dessinant les élévations, le faîtage et les charpentes. Enfin quatre planches sont consacrées aux gravures de Leroy.

Frontispice du Tome II
Antichità Romane
(Focillon 224).

IL CAMPO
MARZIO
DELL'ANTICA ROMA
OPERA
DI·G·B·PIRANESI
SOCIO·DELLA·REAL·SOCIETÀ
DEGLI·ANTIQVARI·DI·LONDR

Second frontispice
de *Il Campo Marzio
dell'Antica Roma*.

Il Campo Marzio dell'Antica Roma

En 1762, Piranèse traite de l'urbanisme de l'ancienne Rome, grâce aux cinquante et une planches du *Campo di Marzio*, et deux ans plus tard il se tourne vers l'*Emissario del Lago Albano*, afin de mettre en évidence son immensité et la complexité de sa technique de construction. Enfin en 1764, en dépit de ses tâches multiples, comme la reconstruction de l'église Santa Maria del Priorato, il grave les *Antichità d'Albano e di Castel Gandolfo*.

Le *Campo Marzio* est dédié à l'architecte britannique Robert Adam. C'est en quelque sorte la suite naturelle des *Antichità*, ce pourrait en être le tome V. Piranèse y expose l'évolution du Champ-de-Mars, au moyen d'une suite de cartes, depuis son origine dans les marais au bord du Tibre, jusqu'à l'aspect fantastique des «scénographies» de l'environnement de certains monuments connus. Il est évident que ses reconstitutions mégalomanes sont une pure vision de l'esprit, totalement démesurées, et entièrement contestables du point de vue archéologique. Cependant la méthode qu'il adopte pour arriver à ses fins, la même que celles des *Antichità*, est tout à fait érudite, et ses arguments rationnels sont dignes du Siècle des Lumières. Henri Focillon précise que le graveur «déshabille les monuments anciens des restaurations et des parures qu'ils doivent aux modernes et, non content de nous les restituer dans leur nudité véridique, il aggrave les injures du temps, ou plutôt il les suppose et il nous les fait sentir. Son burin laboure les pans de murs et y détermine des accidents pareils aux ravages de quelque génie destructeur.» Par ailleurs les premiers signes de son émancipation des règles classiques commencent à apparaître. Et dans la préface il conseille aux architectes de se libérer eux aussi des règles trop strictes du vitruvianisme.

Ses conclusions lui permettent d'établir un plan de la Rome antique, en six planches qui peuvent s'assembler, l'*Ichnographia*. Il y réunit des éléments tels que les thermes impériaux, la villa d'Hadrien et les forums, dont les formes géométriques laissent présager des configurations réellement néo-classiques. Les architectes de la fin du siècle, en particulier les visionnaires que sont Claude-Nicolas Ledoux et Etienne-Louis Boullée en France, et John Soane en Angleterre y trouveront une inspiration forte pour leurs propres créations.

ouvrage qui paraît à la fin de 1762. Il renoue avec l'architecture et les techniques qu'utilisait l'oncle Lucchesi pour construire les digues de Venise. Le frontispice est parfaitement évocateur, avec les assises cyclopéennes qui portent le titre gravé, une arche en ruine, une cascade, des fûts de colonnes et des chapiteaux sans ornements. Mais Piranèse veut fonder ses conclusions sur les techniques; aussi étudie-t-il attentivement les détails de la structure et du fonctionnement du déversoir. Ses observations sont rapportées sous forme de vues intérieures, mais aussi de plusieurs planches de plans et coupes, qui témoignent de ses talents variés. L'intérieur de l'immense tunnel d'entrée, avec ses blocs puissants, jusqu'où pénètrent de monstrueuses racines torturées, est bien à la manière fantastique de l'artiste, dans l'esprit des *Prisons*. Les plans et coupes au contraire sont rendus avec la minutie et la sobriété qui siéent à des dessins techniques

Dans sa recherche du gigantesque et du surhumain, Piranèse s'éloigne de Rome. Il entreprend l'étude de l'*Emissario del Lago Albano* (le déversoir du lac Albano),

La réussite du graveur est telle qu'en 1761, il quitte la boutique du Corso, et s'installe plus magnifiquement au palais Tomati dans la strada Felice, l'actuelle via Sistina, entre l'église de la Trinité-des-Monts et le palais Barberini.

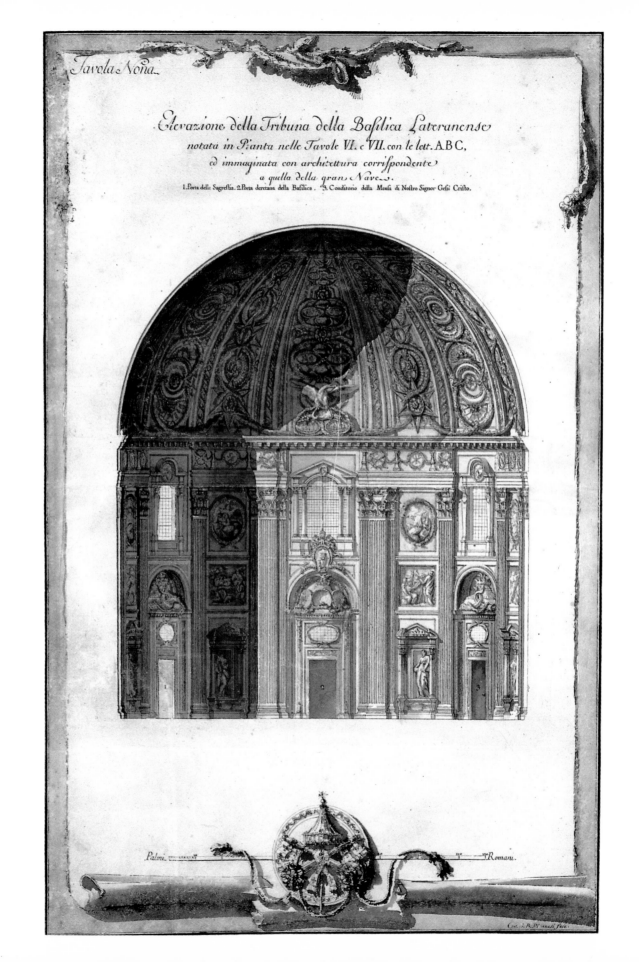

Piranèse architecte

Les dessins d'architecture
L'abside de Saint-Jean-de-Latran

En 1763, Piranèse est chargé par le pape Clément XIII, oncle du cardinal Rezzonico, de terminer l'aménagement intérieur de Saint-Jean-de-Latran. Les projets ne seront jamais réalisés, mais les nombreux dessins qui subsistent permettent de juger des talents du graveur en matière d'architecture.

Cathédrale de Rome et première église de la chrétienté, Saint-Jean-de-Latran a été fondée par Constantin. Incendiée à plusieurs reprises elle est reconstruite au XIVe siècle, et de nouveau au XVe· Puis elle est largement transformée en 1650 par Francesco Borromini, architecte majeur de l'époque baroque qu'admire Piranèse. Lorsque ce dernier est pressenti pour terminer l'œuvre, inachevée, de Borromini, la façade est encore récente, elle a en effet été élevée par Alessandro Galilei en 1733-1736.

Les travaux de Borromini n'avaient concerné que l'intérieur de la nef et des bas-côtés. Le pape, protecteur de Piranèse, le charge de les compléter vers l'ouest, c'est-à-dire vers l'abside. Ce projet est resté longtemps entouré d'un certain mystère, car seuls quelques dessins étaient connus. Ce n'est que dans les trente dernières années qu'une série importante de projets, conservés d'une part à l'Avery Library de l'Université de Columbia (USA), et d'autre part à la Pierpont Morgan Library de New-York (USA), a été découverte et étudiée. Ils mettent nettement en lumière l'attrait de Piranèse pour le baroque de son prédécesseur, mais ils indiquent également sa volonté de mettre en pratique ce nouveau langage architectural, pressenti dans quelques-unes de ses récentes gravures, et qui annonce déjà son ouvrage *Parere su l'Architettura*.

L'étude des dessins a permis de définir cinq projets successifs. Les deux premiers impliquent seulement l'abside et le chœur, mais ils laissent le transept tel que l'avait reconstruit Giacomo della Porta à la fin du XVIe siècle, et dont les murs sont peints de fresques représentant les faits marquants de la vie de Constantin, ainsi que, sur l'autel du Sacrement, la grande Ascension du Chevalier d'Arpino. Tous révèlent que l'architecte est très sensibilisé par le rythme, et par le vocabulaire décoratif de Borromini.

Dans le troisième projet, Piranèse propose une solution infiniment plus ambitieuse et préconise des changements majeurs dans le plan, en créant un déambulatoire autour de l'abside grâce à une colonnade. Il s'inspire de ses propres gravures, le *Vestibule d'un temple antique* et le *Temple antique de la Prima Parte*. Par ailleurs l'écran de colonnes qui masque le déambulatoire est proche des compositions imaginaires qui figureront dans les *Parere*. Il indique les tendances éclectiques de l'architecte, par lesquelles celui-ci combine de façon très curieuse un néo-maniérisme croissant avec un refus formel du vocabulaire vitruvien. Les vigoureux caissons de la voûte en cul de four témoignent eux aussi de sa puissante imagination, avec leurs ovales encadrés de guirlandes, leurs *putti,* et l'aigle des Rezzonico.

Piranèse semble, par ailleurs, avoir souhaité déplacer l'autel papal et son baldaquin, en les reculant depuis le transept jusqu'au chœur. Il propose plusieurs dessins pour ce baldaquin, et dans les premiers l'influence de Borromini est parfaitement claire. Piranèse résiste en effet fortement aux nouvelles théories exposées par Winckelmann qui prône le néo-grec naissant. Finalement le quatrième et dernier baldaquin nous révèle que l'architecte se dégage de l'influence de son prestigieux prédécesseur, sans pour autant accepter les vues de Winckelmann. Avec une particulière originalité, il adopte son propre vocabulaire, tel qu'il le développera dans les *Parere*.

L'architecte imagine encore deux projets pour l'abside, dans lesquels il combine l'organisation relativement simple des deux premiers, avec l'extrême richesse des décors du troisième. Le quatrième conserve encore un déambulatoire, formé d'un mur et de quatre colonnes latérales. Dans le dernier le déambulatoire disparaît, seules subsistent les quatre colonnes. Le chœur est allongé de deux travées de chaque côté, inspirées de celles de Borromini, créant ainsi une meilleure liaison avec la nef de ce dernier. Ce projet final nous est connu par un splendide dessin, présenté à la manière d'une mise en scène vénitienne, dans laquelle le vaste autel est placé contre une abside fermée, flanquée de candélabres fort élaborés.

Malheureusement les projets sont abandonnés. Les raisons pourraient en être financières, mais aussi stylistiques. Le pape est le protecteur de Piranèse, et il a encouragé ses multiples talents tout au long de sa carrière, mais il est également gagné aux théories de Winckelmann. Sans doute trouve-t-il que les projets de Piranèse sont trop baroques, et ne correspondent pas suffisamment aux canons grecs, qui s'imposent peu à peu. Son propre tombeau, exécuté bien plus tard par Canova, sera strictement néo-classique.

L'architecture réalisée
Santa Maria del Priorato

En 1764 le cardinal Rezzonico, Grand Prieur de l'Ordre des Chevaliers de Malte, demande à Piranèse de remodeler le prieuré, situé sur l'Aventin, Santa Maria del Priorato (Sainte-Marie-Aventine). Les travaux durent deux ans. L'architecte n'a pas alors terminé ses projets pour Saint-Jean-de-Latran, il n'en est qu'au troisième.

L'Ordre a été fondé au XIe siècle sur le Forum d'Auguste. Au XIVe siècle les Chevaliers ont repris une ancienne abbaye bénédictine située sur l'Aventin, et en 1566 ils ont fait reconstruire l'église qui menaçait ruine. Deux siècles plus tard une complète rénovation s'impose. Mais la tâche de Piranèse n'est pas une reconstruction. Il doit se contenter de rhabiller l'extérieur et de donner un décor neuf à l'intérieur. Les seuls murs qu'il élève sont ceux de la petite place des Chevaliers de Malte, à l'extérieur du prieuré. Ceux qui encadrent le portail existent déjà, et il ne fera que les harmoniser avec l'église. Ainsi donc, le plan, les masses et les proportions ne sont pas de lui. Par contre ses décors sont aussi révolutionnaires que l'auraient été ceux de la colonnade de Saint-Jean-de-Latran.

Le mémoire récapitulatif des travaux, conservé à l'Avery Library de l'Université de Columbia (USA), permet d'en préciser l'ordre. Piranèse commence par consolider les fondations et la voûte de l'église. En même temps il crée, à l'extérieur, une place (l'actuelle place des Chevaliers de Malte) dont l'iconographie annonce les rôles militaire et religieux de l'Ordre. Il rénove également le mur qui encadre le portail, dans le même esprit.

L'église est une modeste structure rectangulaire, consistant en une nef de quatre travées, avec un transept rudimentaire et une abside orientée à l'est. L'architecte plaque sur tous les murs, tant intérieurs qu'extérieurs, des décors en stuc qui lui sont tout à fait personnels. Leur programme iconographique, fort complexe, entremêle les symboles de l'Ordre, mettant l'accent sur la dualité du religieux et du militaire : ceux des Rezzonico, la famille du prieur, ceux de la mort puisque la chapelle abrite les tombeaux des dignitaires.

A l'extérieur, c'est naturellement la façade qui est l'objet de sa plus grande attention. Il lui confère une magnificence parfaitement originale, qui est moins perceptible de nos jours. En effet le fronton triangulaire était sommé d'un massif puissant,

cantonné de pilastres et planté de croix de Malte. La présence de cet attique déséquilibrait entièrement les rapports établis dans la partie inférieure, annulant le système classique de proportions des pilastres et de l'entablement. Piranèse inversait la valeur de tous les membres de l'architecture, traduisant ainsi, dans la pratique, les théories anti-vitruviennes de Carlo Lodoli. Malheureusement cet attique a été détruit par l'artillerie française en 1849, durant le «Risorgimento». Lors de la restauration la façade a perdu sa puissance novatrice, et le fronton a retrouvé son rôle classique.

Les tendances maniéristes de l'architecte sont particulièrement sensibles dans le décor stuqué. Le schéma iconographique de l'entrée s'y poursuit, avec des motifs militaires et étrusques, auxquels sont ajoutés les symboles des Rezzonico. Au centre, le fronton triangulaire de la porte est sommé d'un sarcophage de pierre, dont le motif est répété dans l'autel à l'intérieur de l'église. Une analyse détaillée des éléments permet d'en comprendre la poétique ornementale. Les volumes abstraits sont transposés dans le monde réel. Ainsi la volute d'un chapiteau devient serpent. La métaphore investit entièrement le décor.

A l'intérieur, et malgré les dimensions relativement restreintes de l'édifice, le visiteur est frappé par un sentiment d'espace. Son regard est immédiatement attiré par la magnificence du maître-autel, et du groupe mouvementé qui le surmonte, l'apothéose de saint Basile. La nef est encadrée de bas-côtés fractionnés, et les chapelles, cantonnées de pilastres cannelés, abritent les tombeaux des dignitaires de l'Ordre, ainsi que celui de Piranèse. La voûte à côtés, avec son rythme diagonal, n'est pas sans rappeler celle de la chapelle du collège de la Propagation-de-la-Foi, élevée par Borromini. Elle est dominée par un étrange relief, centré sur le triangle de la Trinité, et comme dans tous les décors du prieuré, la dualité «militaire-religieux» y est développée. La tiare papale domine la cotte d'armes des Chevaliers, et saint Jean, protecteur de l'Ordre est porté par un gouvernail de navire. Dans le transept, le candélabre rituel est flanqué d'ancres. Le décor des chapelles latérales développe le thème de la Vanitas, comme il sied à des monuments funéraires: crânes, flambeaux renversés, et nœuds de vipères.

Lorsque Piranèse meurt, en 1778, sa dépouille est transportée, sur l'ordre du cardinal Giovambattista Rezzonico, dans l'église du prieuré, où elle demeure. Cette sépulture est certainement celle qui convient le mieux à l'artiste le plus complet de sa génération.

Les *Parere su l'Architettura*

En 1764, une polémique curieuse s'élève entre Piranèse et l'amateur et critique d'art français, P.-J. Mariette. Jusqu'alors leurs rapports avaient été excellents. En 1762, Mariette écrit :«J'ai reçu un exemplaire du dernier ouvrage qu'a fait paraître Piranesi sur l'*Emissario del Lago Albano*. Je l'ai lu avec une grande satisfaction». Comment expliquer que, brusquement, en 1764, trois ans après la parution de la *Magnificenza*, Mariette écrive, dans la *Gazette littéraire de l'Europe*, un texte où il attaque violemment l'ouvrage du Romain? L'avait-il mal et trop vite lu? A-t-il été influencé par l'amateur Caylus? Les arguments de sa critique sont entièrement discutables, puisqu'il assimile délibérément les Etrusques et les Grecs, ce qui ne pouvait qu'irriter Piranèse. Il ajoute que les ornements décrits par le graveur «marquent une décadence totale dans le génie des architectes qui en fournissent les dessins.»

Piranèse, qui vient de consacrer dix années aux travaux de recherches et de gravure des *Antichità*, réagit avec férocité. Il répond à la lettre de M. Mariette par les *Osservazioni sopra la Lettera di M. Mariette* qui paraissent en 1765, et dont le texte est court et ferme. Piranèse limite le débat, mais donne une sérieuse leçon de méthode à son contradicteur, l'engageant à lire sérieusement la *Magnificenza*. Cependant il souhaite donner à sa réponse une forme plus vaste, et plus digne de l'ampleur de la matière et publie, à la suite, les quinze planches des *Parere su l'Architettura*. Le texte qui accompagne les *Parere* prend la forme d'un dialogue entre deux architectes, Didascolo et Protopiro. Didascolo, le porte-parole de Piranèse, est en faveur de l'entière liberté de l'imagination, tandis que Protopiro est l'adepte rigoriste des thèses de Laugier.

Le graveur écrit également l'introduction d'un autre ouvrage, *Della Introduzione e del Progresso delle belli arti in Europa*. Il a l'intention de reprendre la thèse de la *Magnificenza*, celle de l'originalité de l'art italien. C'est donc le problème étrusque qui est au centre de ses recherches. Mais il n'a pas le temps de mener cette tâche à bien, car il doit, simultanément, proposer des plans pour l'aménagement de Saint-Jean-de-Latran, et moderniser Santa Maria del Priorato.

Piranèse créateur d'art décoratif

Les *Diverse Maniere d'adornare i Cammini*

Cet ouvrage contient un grand nombre de modèles de cheminées, mais aussi des meubles, objets et ensembles décoratifs. Il veut être le point de vue définitif de l'artiste dans la controverse qui l'a opposé à Mariette et à Laugier, et ses expériences stylistiques sont alors parfaitement affirmées. Il paraît en 1769, mais plusieurs des planches étaient déjà en circulation au moins deux ans avant cette date. En effet, dans une lettre datée d'octobre 1767, Sir William Hamilton remercie Piranèse pour l'envoi de l'une d'elles.

Les débuts de Piranèse comme «designer» sont incertains. Il semble qu'il ait toujours été intéressé par les arts décoratifs. Un projet de gondole d'apparat et un cadre de miroir, tous deux de style rocaille, datent de ses jeunes années. Il aurait également projeté, à Venise, les décors d'un palais; malheureusement ils n'ont pas été réalisés, et les dessins n'en ont pas été retrouvés. Le texte qui introduit les *Diverse Maniere*, le «Discours apologétique en faveur de l'architecture égyptienne et toscane», est explicite : Piranèse ne cherche pas à reproduire des cheminées anciennes, et ses décors peuvent s'appliquer à toute l'architecture intérieure: «Je ne pense pas qu'il y ait personne d'assez simple pour s'imaginer [...] que les dessins que je présente au public soient réellement copiés d'après les cheminées dont se servirent les Egyptiens, les Toscans, les Grecs et les Romains [...]. Je n'ignore pas quels sont les efforts des «antiquaires» pour découvrir si les anciens ont eu ou n'ont pas eu de cheminées semblables aux nôtres [...] ce que je prétends faire voir dans ces dessins, c'est de montrer quel usage un prudent architecte peut faire des anciens monuments pour les adapter avec goût à nos usages et à nos manières.» Il prend soin, ensuite, de devancer les objections, en particulier celle de la surcharge décorative. L'observation des dessins permet en effet de distinguer ceux qui ont servi de modèle précis à une cheminée particulière, et ceux qui ne sont à considérer que comme un réservoir de motifs décoratifs, en quelque sorte des planches d'ornemaniste.

En 1769 sa technique de graveur est parfaitement au point, et il refuse la sobriété néoclassique qui gagne les ornements, il favorise la richesse baroque, et même maniériste. Il met l'accent sur l'importance de la nature et sur celle de l'antiquité, comme sources complémentaires d'inspiration.

Les *Diverse Maniere* sont sans doute l'ouvrage qui a les plus grandes répercussions directes sur la décoration intérieure en Europe, et plus particulièrement en Angleterre. Les cheminées qu'il dessine pour John Hope ou pour le 9e «Earl of Exeter» sont effectivement réalisées, ainsi que celles destinées à Gorhambury House (Hertfords), et au château de Wedderburn (Ecosse), pour ne citer qu'elles.

Dans les treize cheminées inspirées de motifs égyptiens, Piranèse fait preuve d'une extrême fantaisie. Ce sont elles qui auront l'influence la plus décisive sur des architectes comme François-Joseph Bélanger en France, et George Dance en Angleterre. Le graveur en découvre les sources au Cabinet égyptien du musée du Capitole, ainsi que dans les collections de la Villa Albani, de la Villa Borghèse, et dans celle du cardinal Borgia, mais également à l'occasion de ses propres fouilles à la Villa d'Hadrien à Tivoli. Son «Museo» personnel (il est également marchand d'antiquités), contient d'intéressantes pièces.

Aux cheminées, Piranèse ajoute les schémas décoratifs qu'il exécute à Rome, au café des Anglais (sur la Piazza di Spagna). La date de sa création est sujette à controverse, 1765 ou 1767?

L'artiste pourrait avoir commencé son travail sur les murs dès 1760, et c'est la première fois que l'art égyptien intervient, seul, dans une décoration. L'ensemble est doué d'une rare vigueur et d'une surprenante vitalité. Il attire immédiatement l'attention des visiteurs étrangers, particulièrement les Britanniques, mais aussi des peintres qui fréquentent nombreux cet établissement. Il est sujet d'admiration pour les uns, de controverse pour les autres, mais son influence sera multiple et durable.

Les *Vasi, Candelabri, Cippi*

Durant les années qui suivent la parution des cheminées, Piranèse semble moins préoccupé par la défense de ses idées et de ses théories, que par la bonne marche de ses affaires. De 1770 à 1778, il grave les deux tomes de vases, cippes, urnes et candélabres, plus de soixante planches en tout. Le dessin de vases ornementaux a longtemps été une sorte d'à-côté de l'activité des architectes, et l'est tout particulièrement en ce milieu du XVIIIe siècle. Pour Piranèse il ne s'agit pas seulement de dessiner des vases, mais de trouver, grâce aux fouilles qu'il entreprend aux alentours de Rome, des vases antiques, de les restaurer, et de les vendre aux riches amateurs étrangers qui visitent la Ville Eternelle. Il emploie un personnel extrêmement nombreux, des assistants dans son atelier de gravure, et des sculpteurs pour restaurer les «antiquités» trouvées par les innombrables terrassiers qui ramènent à la surface les vestiges romains. Le profit est donc double, puisqu'il vend à la fois les vases, et les gravures qui en sont réalisées.

L'intérêt des amateurs pour les objets de collection est grand, mais ils ne se préoccupent guère du degré de restauration de leurs acquisitions. Pour répondre à leur demande, Piranèse ne semble pas avoir vraiment hésité à reconstituer vases et urnes, à partir de fragments assez minimes, et avoir eu tendance à passer sous silence l'importance de la réfection. Sa collaboration avec le peintre et antiquaire anglais, Gavin Hamilton, qui agit comme intermédiaire pour nombre de ses compatriotes, est fructueuse pendant plusieurs années. Le site de fouilles le plus productif est celui de l'énorme complexe qu'était la villa d'Hadrien à Tivoli.

Le succès est d'autant plus assuré que la plupart des planches portent une dédicace; l'on y trouve la mention de tous les Anglais fortunés qui fréquentent Rome au cours de cette dizaine d'années, sans compter quelques Français, Russes et Allemands. Les noms du prince de la Saxe-Anhalt, et de celui de «l'illustre signor Ermansdorff» voisinent avec ceux du général Schouvaloff et de l'ambassadeur de France, Louis Digne.

Cependant ce sont les Britanniques qui sont de loin les plus nombreux :
William Beckford, le peintre Zoffany qui fait carrière à Londres, Elisa Upton, Edward Knight, William Wise, Lady Fox et Lord Lincoln, pour ne citer que les plus connus. Les dédicataires des planches ne sont d'ailleurs généralement pas les acheteurs des vases eux-mêmes : ainsi la gravure dédiée à

William Patoun est elle celle d'un vase acheté par Gavin Hamilton pour Lord Grenville.

Les vases que vend Piranèse sont extrêmement variés dans leur forme et leur décor, allant du baroque le plus chargé aux formes les plus dépouillées. Ils ne représentent en rien ses goûts personnels, mais essentiellement celui de ses acheteurs. Ils obtiennent un succès considérable : ainsi le vase acquis par Gavin Hamilton pour Lord Grenville sera-t-il copié en métal argenté en 1828, afin de servir de coupe pour les fameuses courses de Doncaster.

Différentes vues de quelques restes de trois grands édifices dans la ville de Pesto

En 1778, Piranèse qui a consacré plusieurs années à ses «affaires», entreprend un voyage à Paestum (Pesto, au sud de Naples), la ville des temples grecs. Jusqu'alors il a toujours refusé d'accepter que leurs colonnes doriques sans base soient l'œuvre des architectes grecs, et il les attribue aux Etrusques.

La série de seize planches qu'il consacre à cet ensemble prodigieux ne laisse pas de poser question. Elle est réalisée dans les derniers mois de sa vie; est-elle donc entièrement de sa main, ou bien son fils Francesco, qui a signé les deux dernières et le frontispice, a-t-il contribué aux dessins, ou à leur gravure? Plus important encore, Piranèse a-t-il enfin admis que ces temples sont grecs, c'est-à-dire accepte-t-il l'antériorité de la civilisation grecque et sa suprématie? Les historiens de l'art ont beaucoup hésité avant de répondre à ces interrogations.

Roberto Pane estime, et l'on ne peut que le suivre dans ses conclusions, que le père est l'auteur des dessins d'architecture, et que c'est le fils qui a réalisé ceux des figures. En ce qui concerne la gravure, il est bien sûr impossible d'attribuer les incisions à l'un ou à l'autre, mais si l'on songe que Giambattista était alors fort souffrant, on peut imaginer qu'une bonne partie de cette gravure revient au fils.

Beaucoup plus crucial est le problème des croyances profondes de Piranèse au moment où il entreprend ce voyage. En effet aucun des textes de sa main ne fait alors allusion à la polémique qui l'a opposé à Mariette et à Winckelmann. Rudolf Wittkower, en 1938-1939, estime encore que le fait que Piranèse ait gravé cette série grandiose de temples ne signifie en rien qu'il ait enfin accepté leur origine hellénique. De nos jours les historiens de

l'art sont plus nuancés. Roberto Pane, en 1980, attire l'attention sur les commentaires qui accompagnent les gravures, et dont la lecture attentive permet de déceler un changement radical d'opinion chez leur auteur. Le jugement du graveur est plus serein et plus détaché, et il ne paraît pas douteux que des phrases telles que : «...l'ancienne ville de Pesto, appelée par les Grecs Posidonia», ou encore : «L'architecte a situé les triglyphes sur les angles D, selon la coutume des Grecs...», entre autres, soient une preuve de son acceptation définitive de l'architecture grecque archaïque.

Lorsque Piranèse rentre à Rome, il est réconcilié avec lui-même, mais il est au plus mal. Il est atteint depuis six ans d'une maladie de vessie qui le fait cruellement souffrir. A Pesto, au cours des quelques mois qui précèdent sa mort, il a deux attaques violentes, mais refuse de se soigner. En arrivant à Naples il rend le sang. Son agonie est terrible, et il s'éteint à Rome le 9 novembre 1778. Avec Piranèse disparaît l'un des artistes les plus complets et les plus puissants de sa génération.

Il laisse à ses enfants une fortune considérable.
Ceux-ci sont appelés à continuer son œuvre, Francesco en particulier semble avoir hérité du tempérament énergique de son père. Désormais on dira «les Piranesi». Dans les dernières années du XVIIIe siècle, Francesco est contraint de quitter l'Italie; il émigre avec les siens à Paris et emporte les cuivres de son père. La «Calchographie Piranèse» s'établit d'abord rue de l'Université, puis rue de la Montagne-Sainte-Geneviève. Francesco meurt à son tour en 1810.

Dessin préparatoire,
Vue de Paestum.

Arc de Septime Sévère (Focillon 809)
Vedute di Roma (1748-1778)

En 1740, Piranèse est engagé comme dessinateur dans la suite de l'ambassadeur de la République de Venise, chargé de remplacer Marco Foscarini dans la Ville Eternelle. La Rome qui s'offre à ses yeux l'enthousiasme. C'est un enchevêtrement de palais, d'églises, de monuments à demi engagés dans des constructions plus récentes, et de débris antiques auxquels sont accotés les modeste appentis de toute une population de petites gens. Le jeune homme dessine sans relâche; il est parfaitement préparé à comprendre cette Rome grandiose et contrastée.

C'est l'historien de l'art Henri Focillon qui a eu l'immense mérite d'étudier systématiquement l'œuvre gravé de Piranèse, en 1918. Celui-ci était tombé dans l'oubli le plus profond tant en Italie qu'en France,

jusqu'à ce qu'un Britannique, Arthur Samuel, et un Allemand, Albert Giesecke, en retrouvent la trace.

Peut-être Focillon a-t-il pensé à cette gravure de l'Arc de Septime-Sévère, lorsqu'il a écrit qu' «au milieu des décombres une colonne toute droite, parmi des fûts brisés et des fragments de chapiteaux, se dresse comme un mât au-dessus des débris d'un naufrage»[1]

Dans l'angle nord-ouest du Forum romain, l'arc de Septime Sévère, élevé en 203 av. J.C. pour célébrer la victoire sur les Parthes, est situé entre la colonne de Phocas et l'église Saint-Martin, remodelée par l'architecte Pietro da Cortona.

1 H.Focillon, G.B. Piranesi, 1918.

PRIMA PARTE
DI ARCHITETTVRE
E PROSPETTIVE
INVENTATE ED INCISE
DA GIAMBATISTA PIRANESI
ARCHITETTO VENEZIANO
FRA GLI ARCADI
SALCINDIO TISEIO

◀ **F r o n t i s p i c e** (Focillon 2)
P r i m a   P a r t e   d ' A r c h i t e t t u r e   e   P r o s p e t t i v e (1743)

Dès 1743, Piranèse publie un premier ouvrage, la *Prima Parte d'Architetture e Prospettive*. Aucune «seconde partie» ne verra le jour, et cette *Prima Parte* sera réunie aux *Opere Varie* dans les éditions ultérieures. Malgré son jeune âge Piranèse possède une technique remarquable : son véritable maître pour la gravure architecturale aura été le «chevalier» Vasi, un Sicilien installé à Rome. La légende veut que le jeune et ombrageux Vénitien ait accusé Vasi de lui cacher les vrais secrets de l'eau-forte, et soit allé jusqu'à le menacer d'un couteau: «se non è vero...». Il reçoit les encouragements d'un riche Romain, Nicola Giobbe, qui non seulement met à sa disposition les trésors de sa bibliothèque et de ses collections, mais lui fait rencontrer deux des architectes contemporains les plus fameux, Nicola Salvi et Luigi Vanvitelli. Piranèse lui dédie son œuvre, comme en témoigne le tout premier frontispice.
Lors de la réédition, ce frontispice mentionnera seulement que l'ouvrage est de «Giambattista Piranesi architetto veneziano», titre dont il ne se départira jamais.

C'est un véritable «caprice» architectural, avec des débris antiques envahis de végétation, un obélisque en partie caché au premier plan, un grand vase à reliefs, et une plaque de marbre portant la dédicace, entourés de débris et de fragments antiques épars.

Prison obscure avec potence pour le supplice des malfaiteurs (Focillon 4)
P r i m a   P a r t e   d ' A r c h i t e t t u r e   e   P r o s p e t t i v e (1743)

La seconde gravure de la *Prima Parte* est une prison. Le thème est fréquent au théâtre, et Piranèse se souvient probablement de son séjour chez les Valeriani, et de ce qu'il a appris grâce aux mises en scène des Bibiena.
Son inspiration semble être plus précisément un dessin du décorateur français Daniel Marot pour l'opéra *La prison d'Amadis*, fréquemment représenté dans toute l'Europe. Cependant il ne s'agit pas ici d'un projet d'architecture, mais plutôt de la vision pittoresque d'une mise en scène, fort révélatrice des goûts profonds de l'artiste, et qu'il développera plus tard.
L'arcade massive du premier plan est un portant d'avant-scène, celles qui suivent ménagent les coulisses, mais la scène elle-même n'est pas suffisamment dégagée.
Ce «capriccio» est peut-être la mise en scène des rêves de Piranèse.

◄ Temple antique (Focillon 17)
Prima Parte d'Architetture e Prospettive (1743)

La *Prima Parte* est un ensemble de treize planches, dans les-quelles Piranèse «reconstitue» les ruines omniprésentes de la Ville Eternelle. Il les transforme en des fantaisies architecturales que lui dicte son imagination débordante. Les ruines sont «par-lantes» explique-t-il, mais aucun architecte contemporain n'est capable d'en imiter la perfection.

Ici, sous un vaste dôme circulaire à caissons s'imbriquent des colonnades dissymétriques, mises en valeur par l'éclairage zéni-thal, et auxquelles accède un escalier monumental. L'importance essentielle de cette composition réside dans le jeu des courbes et contrecourbes, et dans l'organisation des volumes simples. Par ailleurs le décor est d'une sobriété contrastant fortement avec le style rocaille qui règne sans partage dans toute l'Europe. Les tableaux sculptés sur le soubassement de l'ordre corinthien, les délicates guirlandes de son entablement, ainsi que la balus-trade qui le couronne, sont autant d'éléments qui bouleversent les canons en vigueur. Ces nouveautés sont évidemment remar-quées par les nombreux artistes qui cherchent à retrouver la rigueur classique.

Comme la plupart des œuvres de cette *Prima Parte*, le Temple antique inspire de nombreux artistes français, pensionnaires de l'Académie de France à Rome. Ainsi Louis-Joseph Le Lorrain se fonde-t-il sur ce Temple antique lorsqu'il prépare le Décor pour la «prima machina» de la Chinea[1] de 1747, et jette les bases du néo-classicisme.

Vestibule d'un temple antique (Focillon 12)
Prima Parte d'Architetture e Prospettive (1743)

Cette gravure est sans doute l'une de celles qui inspirent le plus les architectes français. Une impression d'infini est obtenue par la répétition de la vaste serlienne centrale, tandis que de grands arcs scandent la profondeur. L'articulation des parois, au moyen de colonnes colossales alternant avec des pilastres, n'est pas sans rappeler l'église San Giorgio Maggiore de Palladio à Venise. La fantaisie n'est pas absente : ainsi les clefs des arcs sont-elles ornées de bucranes, dont la mode va s'étendre et que nous retrouverons fréquemment dans les dessins réalisés à l'Académie de France -le Palais Mancini- tout particulièrement ceux des décors pour la «Chinea» de Joseph-Louis Le Lorrain.

Charles De Wailly imaginera de reproduire le même effet de répétition à l'infini, grâce à des jeux de miroirs : à Gênes en 1772, lorsqu'il décorera le palais du marquis Spinola, et à peu près à la même époque à Paris, dans la salle à manger de l'hô-tel du marquis de Voyer d'Argenson.

1 A Rome, la «Chinea», la «Haquenée», était une fête annuelle, accompagnée d'une pro-cession, pour laquelle les jeunes architectes élaboraient des architectures éphémères, décors qui exigeaient le renouvellement permanent de l'invention artistique.

33

Vestiges d'édifices anciens (Focillon 5)
Prima Parte d'Architetture e Prospettive (1743)

L'entassement de débris architecturaux représenté ici n'est pas seulement une scène de ruines comme en ont peint de nombreux artistes avant Piranèse. C'est un véritable «capriccio». La végétation, les personnages et le calme de l'ensemble ne sont pas sans rappeler les œuvres de Marco Ricci. Piranèse quant à lui rassemble des vestiges provenant de civilisations variées, toutes tombées en ruine : il combine la gigantesque base de colonne, gisant dans un marécage, avec une urne -peut-être celle de Marcus Agrippa-, un sphinx, un obélisque à

hiéroglyphes et un temple circulaire fondé sur celui de Tivoli. Il y ajoute un palmier tout oriental, et une végétation envahissante.

L'architecte français Jean-Laurent Legeay, qui avait déjà gravé des «caprices» d'architecture dans le même esprit, avant même l'arrivée de Piranèse à Rome, y trouvera de nouvelles sources d'inspiration vers 1768 lorsqu'il gravera une série de vingt-quatre Tombeaux, Vases, Ruines et Fontaines.

Gio Batta Piranesi Archit Venezio inv ed inc in Roma

Capitole antique (Focillon 9)
Prima Parte d'Architetture e Prospettive (1743)

L'obélisque central et le fragment de temple à gauche semblent avoir pour but de mettre en valeur l'immense escalier, ponctué de colonnes votives et d'obélisques, mais vide de toute présence humaine. Piranèse confère ampleur et majesté à cette incroyable vision architecturale, qui n'est pas tant une image antique, qu'une mise en scène influencée par celles des frères Bibiena. Il ira plus loin encore dans l'emphase théâtrale avec la *Fantaisie architecturale* qui suit.

Par ailleurs il contredit, d'une façon qui lui est toute personnelle, sa «reconstitution» de l'antique en plaçant une petite frange de réalité, sous la forme de quelques ruines et rochers, au bas de la gravure.

Le Lorrain et Petitot s'inspirent de ce Capitole pour des décors de la «Chinea», et Challe y puisera plus tard certains éléments qui se retrouvent dans nombre de ses dessins d'architectures imaginaires.

Fantaisie architecturale

Ce dessin, à l'encre et lavis bruns,
est en quelque sorte le réassemblage d'éléments
appartenant à différentes gravures de la *Prima Parte*,
et particulièrement le *Capitole* et le *Mausolée*. Piranèse les
amplifie, les multiplie à l'infini, comme lui seul sait le faire.
Cette architecture démesurée, portée par un fort soubassement,
avec des arcades, des attiques portant des statues, des portiques agrémentés ou non de frontons et un

dôme surbaissé, se prolonge à perte de vue grâce à
une perspective très diagonale.
L'espace qui s'étend devant cette étonnante
construction est, plus encore que la place centrale du Capitole
antique, hérissé de sculptures, colonnes votives et statues. En
revanche il n'est pas inanimé, mais rempli d'une foule grouillante
de personnages minuscules, totalement disproportionnés avec
les bâtiments, véritables fourmis humaines dérisoires.

Pont magnifique avec loggias (Focillon 7)
Prima Parte d'Architetture e Prospettive (1743)

Piranèse donne au thème du pont triomphal une ampleur exceptionnelle. Une vue frontale associe, en une image fort complexe, le grand arc du pont avec la perspective en diagonale d'une construction grandiose. Au-delà de l'arche, qui occupe tout le premier plan, apparaît ce qui est sans doute un palais, orné d'une véritable folie de colonnes. Au loin le regard est arrêté par un obélisque.

Cette gravure est appelée à connaître un succès si prodigieux qu'il lui sera donné le nom de «vue sous le pont». Ainsi Hubert Robert peint en 1761, un pont orné d'architecture, dont le modèle évident est la gravure de Piranèse, ou peut-être son dessin préparatoire, que Robert a pu connaître, car la toile est en sens inverse de l'eau-forte. Nous y retrouvons la voûte du pont au premier plan, au-delà de laquelle la construction à colonnade est elle-même portée par un soubassement à arcades.

Claude-Nicolas Ledoux, quant à lui, transposera en 1779 le thème dans l'architecture. Le portail d'entrée sur la rue de l'hôtel de Mme de Thélusson, à Paris, est traité comme un arc de triomphe, inspiré de celui de Septime-Sévère, sous lequel s'encadre l'hôtel, à la façon d'une «vue sous le pont».

Salle à l'usage des anciens Romains (Focillon 8)
Prima Parte d'Architetture e Prospettive (1743)

Cette «architecture dans l'architecture» figure tout au début de la *Prima Parte*. L'abside sommée d'une demi-coupole, et séparée du bâtiment principal par un écran de colonnes, est destinée à s'imposer dans l'architecture intérieure de la seconde moitié du XVIIIe siècle. Robert Adam, qui fut très proche de Piranèse pendant son séjour romain, est le premier à en imaginer de nombreuses variantes. Ainsi à Kedleston Hall et à Syon House multiple-t-il soit les absides, soit les colonnades.

Et à Syon House ainsi qu'à Newby Hall, il reproduit presque fidèlement le schéma de Piranèse, si ce n'est que les absides sont plus étroites que les pièces qu'elles terminent. Adam sera bientôt imité par les Français : au château de Saint-Gratien (nord de Paris) un écran de colonnes voile sans la masquer l'abside de la salle à manger.

Aspect d'un atrium royal (Focillon 11)
Prima Parte d'Architetture e Prospettive (1743)

En 1769, Marie-Joseph Peyre s'inspire de cette double colonnade, afin de fermer la cour de l'hôtel qu'il projette à Paris pour le duc de Condé. L'hôtel ne sera jamais réalisé, mais les dessins de Peyre sont une constante source d'inspiration pour les architectes jusqu'à la fin du XVIIIe siècle. Ainsi Pierre Rousseau copiera presque textuellement cet écran de colonnes à l'hôtel de Salm-Dyck (l'actuel Hôtel de la Légion d'Honneur, rue de Lille) en 1784, et Henry Holland s'inspirera de ce dernier pour la construction de Carlton House, la maison londonienne du prince de Galles, futur George IV. En 1769-1774, Jacques Gondoin ferme la cour de l'Ecole de Chirurgie, rue des Cordeliers à Paris (l'actuelle rue de l'Ecole-de-Médecine), d'une double colonnade inspirée elle-aussi de celle de Piranèse.

Gio. Batta Piranesi Archit. inv. ed inc. in Roma

Mausolée antique (Focillon 14)
Prima Parte d'Architetture e Prospettive (1743)

«Les violents effets de contraste lumineux entre les ombres du premier plan et la clarté qui baigne le grand mausolée au second font déjà penser à la technique de composition des *Antichità Romane*. Une certaine surcharge apparaît dans les ornements, par exemple avec les urnes qui garnissent les niches du soubassement ou qui décorent les attiques [...] Comme pour le *Ponte magnifico*, il est très malaisé de se faire une idée du plan. Deux motifs dans l'ombre, l'un au premier plan à droite, l'autre plus loin au centre, rejettent le mausolée dans un lointain lumineux; on retrouve le principe de la vue de biais, qui fait disparaître la moitié de ce qui constitue pourtant le prétexte de la planche. Dans cette façon de jouer sur des procédés insolites de présentation et de creuser artificiellement la perspective se note déjà l'esprit maniériste qui ne cesse de se développer chez Piranèse. Le détail des motifs, par exemple les statues dans les niches, avec leur canon curieusement allongé, accuse cette impression. Une touche de poésie funèbre est apportée par la végétation, qui envahit non seulement tout le premier plan à droite, mais aussi le fronton de gauche»[1].

1 Georges Brunel, Piranèse et les Français 1740-1790, catalogue de l'exposition, Rome, Dijon, Paris, 1976, p.287.

Chambre sépulcrale (Focillon 18)
Prima Parte d'Architetture e Prospettive (1743)

Cette vue intérieure d'un colombarium romain, architecture à demi enfouie et ruinée, rongée par la végétation, sur le sol duquel gisent des fragments antiques, s'inspire de la scène de *Ruines antiques avec un sphinx* de Marco Ricci. Mais Piranèse ajoute à la Chambre sépulcrale une dimension archéologique qui anticipe les *Antichità Romane* : les alvéoles des parois n'atteignent pas le sommet, et la pierre laisse apparaître, dans sa nudité et sa rudesse, le mode de construction de l'édifice. Par ailleurs, comme dans la *Prison obscure* se manifeste le goût du graveur pour les lieux sombres et clos.

Peu après la parution de son premier ouvrage, Piranèse effectue un bref voyage au sud de Rome, afin de visiter les fouilles d'Herculanum. Mais bientôt ses ressources étant épuisées, il est contraint de retourner dans sa Venise natale. Il trouve un emploi auprès du peintre de génie qu'est Giambattista Tiepolo, alors au sommet de sa carrière et de son art. Grâce à son enseignement, Piranèse devient un véritable peintre en noir et blanc. Il réalise qu'il peut exprimer ce qu'il veut grâce à la gravure qui est un art complet.

Vue du Corso, du Palais de l'Académie instituée par Louis XIV, roi de France (Focillon 739)
Vedute di Roma (1748-1778)

En 1747 Piranèse est de retour à Rome; il ouvre une boutique et un atelier de gravure sur le Corso, en face du Palais Mancini, l'Académie de France à Rome (celle-ci ne sera transférée à la Villa Médicis qu'au XIXe siècle). Il fait rapidement connaissance avec les jeunes architectes pensionnaires de l'Académie, tous brillants sujets puisqu'ils ont obtenu à Paris le Premier Prix d'architecture. Ses gravures de la *Prima Parte* les influencent durablement, mais il existe également entre eux une coopération. Ainsi dans les années 1750,

Piranèse est aux côtés de Marie-Joseph Peyre et de Charles De Wailly lorsqu'ils étudient et mesurent les thermes de Dioclétien, de Caracalla et de Titus.

Peyre, à l'instar de son confrère romain, grave ses propres reconstitutions des thermes de Dioclétien et de Caracalla. Dans les années 1760, Charles-Louis Clérisseau accompagne Piranèse et tous deux explorent le temple de «Canopus», autrement dit le nymphée de la villa d'Hadrien à Tivoli.

◄ Vue du Campo Vaccino (Focillon 803)
Vedute di Roma (1748-1778)

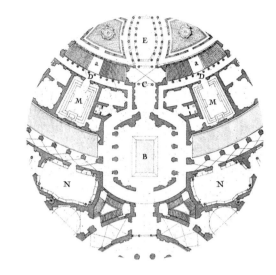

Cette vue du Campo Vaccino, sur le forum romain, englobe bien des monuments que Piranèse détaille dans d'autres gravures : le Temple de Jupiter tonnant, celui de la Concorde, d'Antonin et de Faustine, de Romulus et Remus, l'Arc de Septime-Sévère, et même au loin le Colisée et les ruines des thermes de Titus.

Plan d'un vaste collège magnifique (Focillon 121)
Opere Varie (1753-1757)

En 1750, Piranèse quitte le Corso, et va s'installer plus somptueusement dans un palais qui appartient au comte Tomati, strada Felice (l'actuelle via Sistina). Il a pour voisin dans le palais l'architecte britannique William Chambers, arrivé à Rome cette même année 1750.

Il entreprend la gravure des *Opere Varie*. Le *Plan d'un vaste collège magnifique* est unique dans son œuvre. L'idée lui en aurait peut-être été suggérée par le programme du concours d'architecture, le «Concorso Clementino», de 1750.

Dans ce plan circulaire il introduit, difficulté extrême, des escaliers multiples et dont l'articulation est fort complexe. Les grands axes de perspective ne sont pas sans parenté avec ceux du *Vestibule d'un temple antique*, et grâce au caractère circulaire de l'édifice projeté, l'auteur peut introduire les répétitions à l'infini qu'il affectionne particulièrement.

Jean-Laurent Legeay, le plus piranésien de tous les Français, dessine un plan basé sur celui de Piranèse et qui a malheureusement disparu. Mais il nous reste la copie qu'en a faite William Chambers, conservée au Victoria and Albert Museum à Londres. Le plan de Piranèse, ainsi que celui de Legeay, sont les témoins de ce travail de recherche qu'effectuaient tous les architectes à Rome, alors qu'un changement radical se produisait dans le goût. Il leur fallait trouver de nouvelles solutions typologiques, mais aussi élaborer des formes originales. A son tour Marie-Joseph Peyre publie dans les *Œuvres d'architecture* (1765), le *Plan d'une église cathédrale circulaire*, composé lors de son séjour romain.

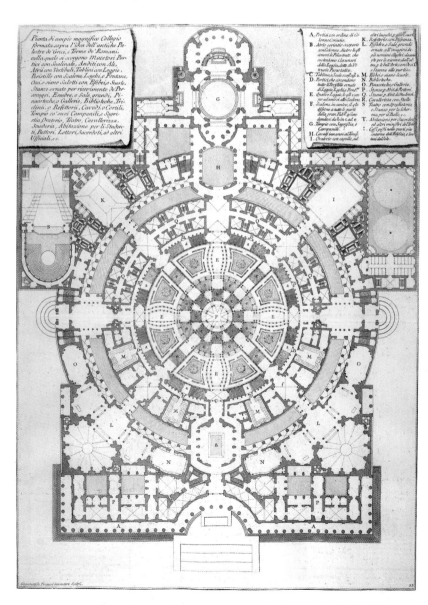

Étude pour la planche suivante

**Partie d'un Port magnifique à l'usage ▶
des anciens Romains** (Focillon 122)
Opere Varie (1753-1757)

Ce port est sans doute l'une des fantaisies architecturales les plus puissantes de Piranèse, dans laquelle il amalgame divers motifs en toute originalité. Le fleuve et les embarcations au premier plan représentent la réalité. Mais l'accent est mis sur les trois escaliers majestueux, et sur les massifs du premier plan dont l'ornementation mêle des éléments classiques, ainsi que des motifs dont Piranèse renouvelle complètement le vocabulaire. Il généralisera plus tard cette tendance, lorsqu'il fera œuvre d'architecte à Santa Maria del Priorato, et de nouveau lorsqu'il gravera les *Parere su l'Architettura* et les cheminées. Les vastes constructions circulaires qui remplissent l'espace supérieur s'éloignent dans un lointain infini et onirique.
Les architectes français, Louis-Joseph Le Lorrain, Michel-Ange Challe et bien d'autres s'inspireront de cette gravure. En 1775, l'architecte britannique William Chambers la transposera dans l'architecture, lors de la construction du soubassement de Somerset House du côté de la Tamise.

Dépendances de thermes antiques (Focillon 126)
Opere Varie (1753-1757)

Le graveur précise qu'il s'agit de dépendances
de thermes antiques avec des escaliers qui conduisent à
la palestre et au théâtre. Cette fantaisie architecturale de
petites dimensions retient l'attention. Elle présente un
empilage d'arcades, portées par des portiques à frontons.
La juxtaposition d'éléments classiques et de colonnes
grecques, ce dorique sans base représenté dans les temples
de Paestum en Campanie, peut paraître pour le moins curieuse.
A cette époque en effet le graveur est farouchement opposé à
l'architecture grecque, et défend de toutes ses forces la suprématie de la Rome antique. Il faut cependant remarquer qu'il
considérait l'architecture de Paestum comme étrusque,
c'est-à-dire antérieure à l'architecture romaine.

On a longtemps cherché, en vain, des sources antiques
aux éléments architecturaux de certaines des «Propylées»
de Claude-Nicolas Ledoux, ces barrières qui devaient
entourer Paris dans les années 1780 («le mur murant
Paris rend Paris murmurant»).

Or les éléments de l'une des planches (pl.154, vol. II)
de l'«Architecture considérée sous le rapport de l'art, des
mœurs et de la législation», publiée en 1804, s'expliquent
s'ils sont mis en parallèle avec les thermes antiques de
Piranèse. Ledoux était évidemment familier des ouvrages
du graveur romain, et la comparaison ne manque pas d'être
frappante : «Ledoux ne devait pas ignorer la planche des
Appartenenze d'antiche terme. Selon un procédé habituel aux
néo-classiques, il découpe dans la composition du graveur italien un détail frappant qu'il remonte en variant à l'infini les
assemblages. Ledoux puise dans les planches de Piranèse
comme dans un catalogue d'idées.»[1]

1 Monique Mosser, Piranèse et les Français 1740-1790, catalogue de l'exposition,
Rome, Dijon, Paris, 1976, p.178.

Intérieur de palais

Il semble que ce dessin, à l'encre et lavis bruns, date des années 1745-1750. L'accumulation ordonnée, et la structure des vastes éléments architecturaux des deux côtés, partiellement enveloppés de fumée, évoquent le *Port magnifique* des *Opere Varie*. L'origine de l'ampleur de cette frénésie architecturale est à chercher dans la mise en scène de théâtre. Vers cette époque le graveur, qui était déjà familier des techniques des Bibiena, a la possibilité d'étudier celles que Filippo Juvarra imagine pour satisfaire le cardinal Ottoboni. Il réalise d'ailleurs une adaptation de la mise en scène de Juvarra pour l'opéra *Teodosio il Giovane*. Dans l'*Intérieur de palais* la lumière tombe des cintres, les architectures latérales du premier plan s'incurvent, et se rejoignent vers le haut. Elles sont un portant d'avant scène à la manière de ceux des Bibiena, mais interprété librement à la manière de Juvarra. L'espace central, où sont placés quelques accessoires, est la scène sur laquelle le personnage principal est couronné, entouré de sonneurs de trompe. Cette apothéose permet à Piranèse de conjuguer la fantaisie architecturale des *Opere Varie*, sur le mode théâtral, en une vision magnifiée par son incroyable imagination.

Prison imaginaire, pl. VII, 2e état. (Focillon 30) *p.54*
Invenzioni capric. di Carceri (1761)

De cette prison, comme des treize autres, émane une sensation de malaise. Les voûtes sont l'élément principal de ces univers inexorablement clos et sombres, voûtes de pierre nue, qui se superposent et s'entrecroisent, massives et écrasantes, ne ménageant pas même de murs. L'espace est rempli d'un ou deux escaliers monumentaux, d'une multitude de passerelles, de ponts-levis ou d'escaliers en spirales; les portes, lucarnes et *oculi* sont irrémédiablement fermés de lourdes grilles; dans les blocs sont fichés des chaînes et des anneaux pesants, ainsi que des crochets redoutables. Cependant la torture est rarement visible, réduite à ses accessoires.

Plusieurs petits personnages peuplent cet espace dans lequel règne le silence, mais qu'ils soient enchaînés, ou libres de leurs mouvements, leurs allées et venues gesticulantes sont dérisoires. La lumière vient d'en haut, et la perspective des ombres forme des angles à 45°, accentuant l'impression inquiétante.

L'on peut se demander quels motifs ont poussé Piranèse à développer, en l'amplifiant, le thème de la *Prison obscure* (p. 29), sur lequel il insiste avec force. Il ne s'agit en rien de prisons réelles, ni de projets d'architecture. Il s'agit encore moins de mises en scène, même si l'influence des Bibiena s'y fait sentir.

Sans doute faut-il y voir l'expression du tempérament ardent et sombre du graveur, dans lequel les modernes psychanalistes trouveraient peut-être une tendance morbide, voire dépressive.

Prison imaginaire, pl. VII, 1er état (Focillon 30) *p.55*
Invenzioni capric. di Carceri (1745)

L'édition des *Prisons* de 1761 est celle qui est destinée à laisser les impressions et le souvenir les plus vifs. C'est elle qui incite Victor Hugo à parler du «cerveau noir» de Piranèse, à tel point que l'on oublie la première série, de 1745. Celle-ci peut sans doute être considérée comme une préparation; sa technique est du reste encore celle d'un débutant, qui hésite à recourir à toutes les ressources de l'acide. En 1761, le graveur reprend les cuivres de 1745, il les surcharge d'éléments architecturaux supplémentaires, y multiplie les instruments de torture, il augmente les hachures et intensifie l'encrage.

Quinze années séparent la planche de la page 54; entre-temps le graveur a considérablement modifié sa technique, devenant un graveur complet. Il a par ailleurs exploré les sombres intérieurs des ruines antiques, et est en mesure d'en apprécier toute la poésie mélancolique et parfois inquiétante. Le premier état est entièrement baigné dans une lumière blonde. Le soleil qui envahit l'intérieur rend les instruments de torture moins menaçants, ils sont du reste moins nombreux. Les premiers plans sont traités de la même manière monotone et grise que les fonds, et les ombres portées ne sont pas réellement alarmantes.

◀ **Prison imaginaire,**
dessin préliminaire pour la planche VIII *p. 58*

Les dessins de Piranèse ne sont généralement que des
esquisses; celui-ci est exceptionnel dans son achèvement.
Il est particulièrement intéressant dans la mesure où il a précédé
le premier état de la gravure, c'est-à-dire l'état lumineux et peu
encré. Il n'est donc pas interdit de penser que l'aspect sombre
et sinistre de la planche définitive ait déjà été en germe
dans l'esprit du graveur dès 1745.

Ce dessin est naturellement à l'envers par rapport à la planche
gravée, et dans ce cas précis Piranèse l'a sans doute copié
directement sur le cuivre, puis a retourné un calque contre le
vernis. En effet la composition architecturale, de mêmes dimensions, n'a pas changé et ne changera pas non plus du
premier état au second.

◀ **Prison imaginaire, pl. VIII** (Focillon 31) *p. 59*
Invenzioni capric. di Carceri (1761)

Dans cette planche de 1761, qui est l'état définitif du dessin
précédent, la projection des ombres est nette et ferme, et la
lumière tend à se concentrer. Les bossages sont modelés
par le clair-obscur qui confère une solidité nouvelle aux pilastres
massifs. La complexité des passerelles, des échelles et des
ponts-levis sans issue ne sont pas un désordre, mais permettent
de préciser la destination de l'édifice, laissant deviner la
présence d'invisibles et menaçants guetteurs. Le vertige et
la terreur sont présents dans le moindre renfoncement; ils
surgissent des caveaux colossaux, ils émanent des piliers
formés de blocs mal équarris.

Cette *Prison* n'est pas un décor, mais une architecture
saisissante et impossible, un «caprice» issu de l'imagination
exacerbée d'un esprit dramatique et tourmenté. Elle est le
négatif d'un palais, de cet *Atrio reale*, dans lequel les ornements
sont remplacés par des instruments de torture, et les colonnades font place à des murs grossiers, entre lesquels sont
jetées des passerelles.

Idea d'un atrio reale (Focillon 131) ▶
Opere Varie (1753-1757)

Prison imaginaire, pl. XIV (Focillon 37) ▶
Invenzioni capric. di Carceri (1761)

Dessin préparatoire de la planche XIV

Les *Carceri* n'ont pas eu le succès des autres œuvres de Piranèse, et se sont mal vendues. Mais on en retrouve un écho dans les sombres souterrains, lieux privilégiés des auteurs anglais de romans dits «gothiques» du XVIIIe siècle.

«La partie basse du château avait été excavée, formant plusieurs cloîtres complexes; et il n'était pas aisé [...] de trouver la porte qui donnait accès à la caverne.
Un horrible silence régnait partout dans ces régions souterraines, excepté de temps à autre, les coups de vent qui faisaient battre les portes.»
Horace Walpole, *Le château d'Otrante*, 1764.

«Ils allaient, errant de chambre en chambre,
de salle en salle, d'allée en allée, tout autant
de lieux sans fond et sans limites, tous éclairés par une sombre lueur».
William Beckford, *Vathek*, 1787.

En France ce sont les auteurs romantiques qui redécouvrent Piranèse au XIXe siècle, particulièrement Théophile Gautier et Victor Hugo.

«Quelques instants après, nous le voyons dans un cachot, comme Piranèse les entendait, piliers trapus, voûtes surbaissées, murailles vertes d'humidité par le bas, escaliers plongeant dans de mystérieux abîmes.»
Th. Gautier, *Histoire de l'art dramatique*, T.VI, p.32.
(Cité par Luzius Keller, *Piranèse et les romantiques français*, 1966)

«Monde châtiment! tas de caves funèbres
Construction d'en bas qui cherche les ténèbres,
Qui pend vers l'ombre et plonge et loin de ce qui luit
S'enfonce, Babel morne et sombre de la nuit».
Victor Hugo, *Contemplations*, VI, 26; Ce que dit la bouche d'ombre.
(Cité par Luzius Keller, *Piranèse et les romantiques français*, 1966)

Prison imaginaire, pl. III 2e état (Focillon 26)
Invenzioni capric. di Carceri (1761)

Prison imaginaire, pl. V 2e état (Focillon 28)
Invenzioni capric. di Carceri (1761)

Vue de l'intérieur de la basilique
Saint-Paul-Hors-Les-Murs (Focillon 792)
Vedute di Roma (1748-1778)

La toute première basilique Saint-Paul-Hors-Les-Murs date de 324 ap. J.C. Démolie et reconstruite à plusieurs reprises l'actuelle église remonte au neuvième siècle. Piranèse en remplit l'intérieur de personnages nombreux, et qui représentent parfaitement la cohabitation sociale extrême qui régnait à Rome au XVIIIe siècle. Leur échelle réduite lui permet par ailleurs de donner à l'édifice une proportion plus monumentale. Dames et gentilshommes côtoient d'humbles bergers avec leurs bâtons, des gueux et des estropiés les chiens eux-mêmes s'ébattent en toute liberté. On sait que le graveur, en réaction contre l'académisme romain, a cherché ses modèles dans les ruelles grouillantes d'une humanité misérable. Leurs gesticulations inquiètes ont la grandiloquence de personnages de théâtre. Piranèse en a trouvé l'inspiration chez les maîtres de Venise, mais aussi chez les peintres napolitains.

Le Colisée, vue à vol d'oiseau (Focillon 758)
Vedute di Roma (1748-1778)

Les *Vedute di Roma* offrent quatre gravures du Colisée. Pour la vue intérieure, à vol d'oiseau, afin d'embrasser l'ensemble, Piranèse a recours à la «scena per angolo» imaginée par les Bibiena pour les décors de théâtre. La gigantesque construction n'avait pas, ou guère, changé lorsque Stendhal la visite en 1827. «L'on verra un théâtre ovale d'une hauteur énorme, encore tout entier à l'extérieur du côté du nord, mais ruiné vers le midi : il contenait cent sept mille spectateurs. La façade extérieure décrit une ellipse immense; elle est décorée de quatre ordres d'architecture : les deux étages supérieurs sont formés de demi-colonnes et de pilastres corinthiens; l'ordre du rez-de-chaussée est dorique, et celui du second étage ionique [...]. Le monde n'a rien vu d'aussi magnifique que ce monument : sa hauteur totale est de cinquante-sept pieds, et sa circonférence extérieure de mille six cent quarante et un. L'arène où combattaient les gladiateurs a deux cent quatre-vingt-cinq pieds de long sur cent quatre-vingt-deux de large. Lors de la dédicace du Colisée par Titus, le peuple romain eut le plaisir de voir mourir cinq mille lions, tigres et autres bêtes féroces, et près de mille gladiateurs. Les jeux durèrent cent jours.[1]

1 Stendhal, Voyages en Italie, 1817-1829.

◀ **Vue intérieure du Panthéon d'Agrippa** (Focillon 763)
Vedute di Roma (1748-1778)

Le Panthéon est l'édifice romain le mieux conservé, et aussi sans doute le plus mystérieux. Construit à l'origine par l'empereur Agrippa, il doit sa forme de rotonde à l'empereur Hadrien. Le pape Boniface IV l'ayant consacré au culte chrétien en 609, il a en grande partie échappé aux dégradations. Piranèse le représente dans les *Vedute*, dans les *Antichità*, et l'imagine également à l'intérieur de la Rome «reconstituée» du Campo Marzio.

Aucun des fort nombreux visiteurs de l'époque ne repartait sans une petite «veduta» de ce monument fascinant, vendue quasiment comme une carte postale de nos jours. Mais les architectes, tout particulièrement britanniques, qui possédaient un exemplaire des *Vedute di Roma*, y ont trouvé une importante source d'inspiration. Le salon rond de Robert Adam à Kedleston House, élaboré en 1760 peu après son retour de Rome en est l'illustration, de même que celui de Newby Hall qui date de 1770.

Vue intérieure de la Villa Mécène (Focillon 769) *double page suivante*
Vedute di Roma (1748-1778)

Les contemporains de Piranèse pensaient que cet édifice, situé à l'ouest de Tivoli, était une villa construite par le fameux Mécène, celui-là même qui avait demandé à Virgile d'écrire les *Géorgiques*. Nous savons aujourd'hui qu'il s'agit d'un temple, dédié à Hercule et datant de la seconde moitié du premier siècle av. J.C.

Cette gravure pourrait figurer dans les *Antichità*, car elle illustre parfaitement la vigueur de l'art de construire des Romains, dont il est possible de découvrir les secrets grâce à la dégradation des murs. Mais sans doute pouvons-nous y voir également la fascination de Piranèse pour les lieux sombres et mystérieux, voire inquiétants. Les *Carceri* n'ont pas obtenu le succès espéré, mais le graveur n'a pas renoncé à en retrouver l'atmosphère dans l'intérieur des ruines antiques.

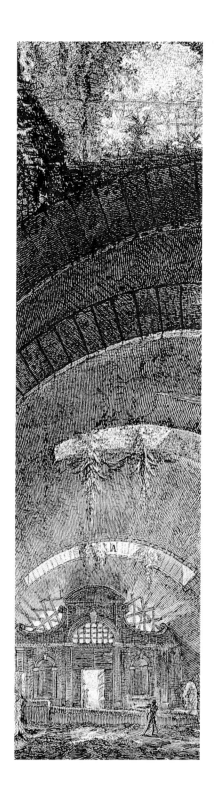

Veduta interna della Villa di Mecenate Dall'iscriz:^e L. OCTAVIVS. L. F. VITVLVS C. RVSTICIVS. C.F. FLAVOS INTER. IIII VIR. D. S. S. VIAM

le copre la via fa con la villa un sol corpo   per mantener la via, ne fu ordinato il coperto
, siam persuasi, che tutto l'edifizio non   e la volta da quel Senato. In fatti le fornici
villa, ma un'opera fatta per uso del Co=   sotto la volta segnata col B, non avendo se=

Avanzi del Tempio del Dio Canopo nella Villa Adriana in Tivoli
A Nicchie e fontane che erano rinvestite di tartari. B Volta ch'era ricoperta di mosaici bianchi, e di altri colori. Le pareti C erano rinvestite di lastre di marmo. Il di dietro di questo tempio è circondato di conserve d'acqua e di natazioni. Da tali contrasegni crederei ch'egli dovesse appartenere al Dio Nettuno più che ad altra Deità. D Due gran macigni caduti dalla Volta.

◄ Ruines du temple du dieu Canope (Focillon 844)
Vedute di Roma (1748-1778)

Piranèse aurait gravé cette vue en 1768 ou 1769. Nul ne sait pourquoi il lui donne ce titre, car il n'ignorait pas qu'il s'agissait d'un nymphée, comme en témoignent les fontaines dans les niches. Et la vision qu'il nous en offre est peut-être la plus romantique parmi toutes les *Vedute*. L'artiste était accompagné de l'architecte français Charles-Louis Clérisseau lors de l'expédition qui leur a permis de découvrir ce nymphée. Tous deux ont dû forcer leur passage à coups de hache pour l'atteindre, dans un roncier quasi impénétrable auquel ils devaient mettre le feu afin d'en chasser les scorpions.

Clérisseau n'oublie pas l'aspect irréel de ce lieu hors du temps. Peu après il transforme en ruine pittoresque une cellule à l'église de la Trinité-des-Monts. Son gendre et biographe, J.G. Legrand, décrit ce décor insolite: «On croyait en y entrant voir la *cella* d'un temple enrichie de fragments antiques [...] La voûte et quelques pans de murailles en partie écroulées, soutenues par de mauvaises charpentes laissaient percer le ciel [...].» Clérisseau n'était cependant pas complètement novateur, puisqu'il suivait l'exemple de Giulio Romano au palais du Tè à Mantoue (1526-1534), et celui, plus récent, de Charles Natoire à la chapelle des Enfants-Trouvés à Paris (1752).

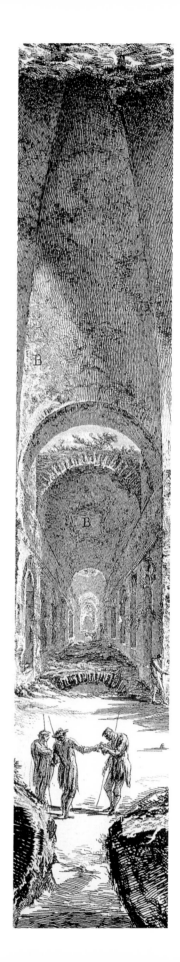

Vue de la villa Barberini (Focillon 740) *double page suivante*
Vedute di Roma (1748-1778)

Le palais Barberini est voisin de la strada Felice où est installé l'atelier de gravure. Piranèse précise qu'il est situé sur le mont Quirinal, et ajoute qu'il est l'œuvre du «Chevalier Bernin», qu'il admire profondément.

En fait, nous savons actuellement que sa construction a été entreprise par Carlo Maderno. Après la mort de ce dernier, elle a été poursuivie par le Bernin, assisté de Borromini, et terminée en 1633. Il est tentant de l'attribuer entièrement au Bernin, comme le faisait Piranèse. Cependant un dessin, conservé à l'Albertina de Vienne, permet de penser que ce dernier a repris l'élévation imaginée par Maderno, en ne la modifiant que très peu. Ceci expliquerait que le palais Barberini soit resté pratiquement sans descendance.

Le palais Barberini abritait une collection de sculptures égyptiennes, parmi lesquels un Antinoüs, qui est demeuré dans les jardins jusqu'au XIXe siècle.

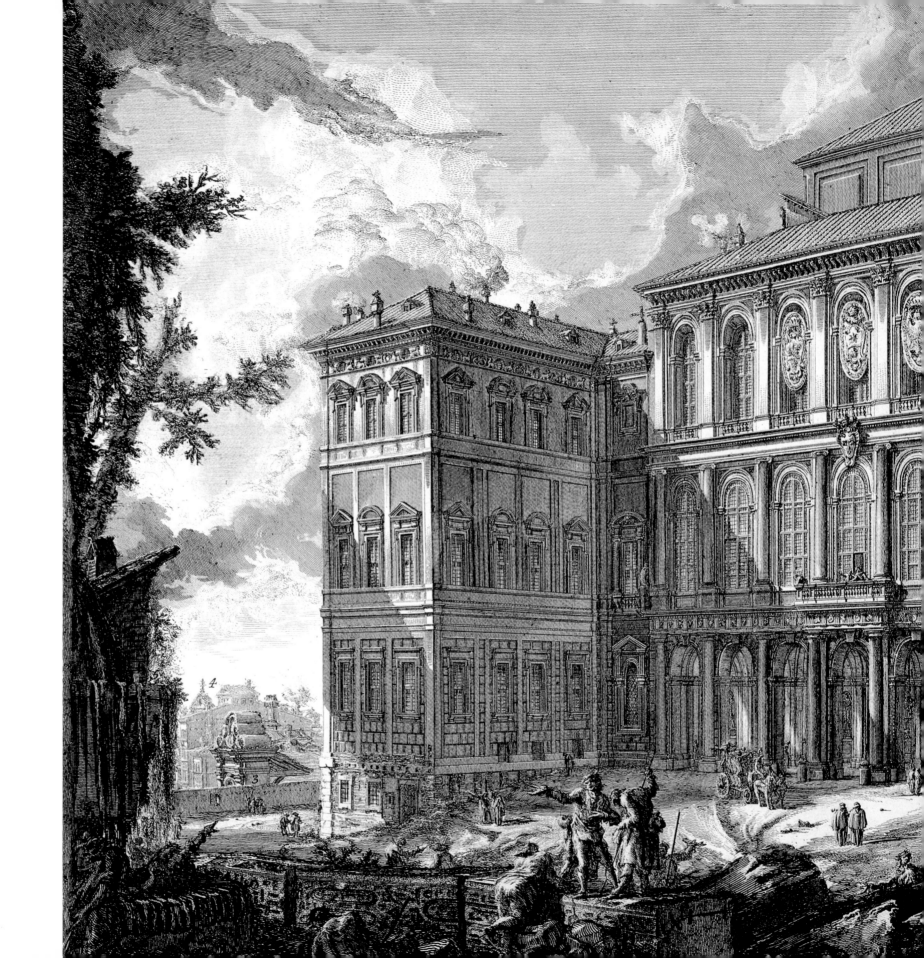

Veduta della Villa dell'Em̃o Sig. Card. Alesandro Albani fuori di Porta Salaria.

◀ Vue de la villa de l'éminentissime cardinal Alessandro Albani (Focillon 853)
Vedute di Roma (1748-1778)

Sans doute n'est-ce pas pour l'intérêt architectural de la Villa Albani que Piranèse grave cette dernière, mais bien plutôt à cause de l'enthousiasme archéologique de son propriétaire, le cardinal Alessandro Albani. Celui-ci, nous dit Focillon, «aime le jeu, les femmes, les spectacles, la littérature et les Beaux-Arts.» Tout particulièrement les Beaux-Arts, puisque sa villa a été construite par Carlo Marchionni, entre 1746 et 1763, dans le seul but d'abriter sa collection inégalée de statues anciennes. Ce véritable musée avait pour conservateur l'érudit allemand Johann Winckelmann. Les sculptures égyptiennes provenaient essentiellement de fouilles effectuées en Italie même, et qui attestent du nombre très important d'œuvres rapportées de la vallée du Nil à l'époque impériale.

Il est intéressant de remarquer que la création par Piranèse du décor égyptisant du café des Anglais à Rome, coïncide avec celle des salles égyptiennes de la villa Albani.

Vue en perspective de la grande ▶ Fontaine de Trevi (Focillon 734)
Vedute di Roma (1748-1778)

La Fontaine de Trevi est l'œuvre de l'architecte Nicola Salvi, à qui Piranèse avait été présenté par son protecteur Nicola Giobbe, en 1743. Après bien des hésitations, le choix de Salvi fut le résultat du «Concorso Clementino» de 1723, auquel avaient participé, entre autres, Luigi Vanvitelli et le Français Edme Bouchardon (qui avait obtenu un second prix).

du palais Poli, contre lequel elle est adossée. Ce décor offre quelques détails de style rocaille, tels que la vaste conque de Neptune, mais l'architecture est classique. Salvi fait par ailleurs montre d'une imagination digne de celle de Piranèse lorsqu'il remplit une grande partie du bassin de concrétions rocheuses naturelles, baignées par les eaux coulant à flot depuis la fontaine.

Cette fontaine est conçue comme un arc de triomphe, et Piranèse admirait certainement l'ingénieuse idée de Salvi qui consistait à créer un lien entre son décor, et celui de la façade

Aux alentours grouille une vie exubérante et typiquement romaine, où se mêlent gentilshommes descendus de carrosses, et marchands ambulants avec leurs ânes.

En 1756 paraissent les quatre tomes des
Antichità Romane, l'ouvrage que Piranèse grave afin
de prendre la défense de l'antiquité romaine, lorsque le théoricien français Laugier affirme que «l'architecture doit ce
qu'elle a de plus parfait aux Grecs».
A partir de ce moment Piranèse va concentrer toute son
énergie pour prouver la suprématie de l'architecture romaine.
Il devient lui-même architecture : le frontispice de la première
édition des *Antichità* représente son buste, gravé par
Polanzani, dans lequel il fait corps avec la pierre antique.
Dans la seconde édition, ce buste est remplacé par
un portrait médaillon, appliqué entre deux pierres

frustes, placé devant des débris antiques et des plans
gravés sur des marbres.

Ludovico Bianconi nous révèle que:
«Le Piranesi était de stature plutôt grande, de teint brun,
avec des yeux très vifs. Sa physionomie était agréable, bien
que d'un homme plutôt sérieux et méditatif [...] Il parlait
avec plus d'abondance que d'éloquence, peinant à
s'exprimer avec clarté : toutefois il concevait
à merveille l'idée du beau dans l'art du dessin et il la
traduisait dans ses planches avec un rare bonheur.»

EQVES·IO·BAPT·PIRANESIVS

VENETVS·ARCHITECTVS

Frontispice, T. III (Focillon 287) *p. 84 et 85*
Antichità Romane (1756)

Second Frontispice, T.II (Focillon 225) *p. 86 et 87*
Antichità Romane (1756)

Pour introduire le second volume des *Antichità*, Piranèse imagine un carrefour de voies romaines, bordées d'une grande variété
de monuments funéraires. Cette gravure est une vue de l'esprit
de l'auteur, un «capriccio», dans lequel aucune parenté n'existe
avec les tombeaux illustrés dans les planches qui suivent.
Elle est évidemment destinée à stimuler l'imagination
de ses contemporains.

Elle renferme un hommage spécifique à ses amis
britanniques, comme le peintre Allan Ramsay, et plus
particulièrement l'architecte Robert Adam.
La dédicace initiale à Lord Charlemont a été
supprimée lorsque celui-ci s'est dédit
de l'engagement qu'il avait pris de
financer la publication.

EQVES IO BAPT PIRANESIVS
VENETVS ARCHITECTVS

VIX·ANN·LIIX
OB·V·ID·NOVEMB·CIƆIƆCCLXXIIX

83

◀ Vue du sépulcre dit de Néron (Focillon 299)
Antichità Romane T. II (1756)

Piranèse commence à graver les *Antichità* dès 1750, et va se consacrer presque exclusivement à cet important projet. Son but initial est de procurer aux artistes des modèles tirés de l'antiquité, afin de leur permettre de renouveler leur inspiration. Mais après la publication de l'*Essai sur l'architecture* de Laugier, en 1755, son œuvre prend un tour polémique, et les gravures qu'il ajoute sont de véritables études archéologiques, destinées à démontrer la supériorité des architectes romains.

Les tomes II et III sont consacrés aux monuments funéraires : les tombeaux, qui jalonnent la campagne aux environs de Rome, sont empreints d'une intense poésie, mais sont surtout extrêmement fertiles en enseignements.

Le tombeau dit de Néron est situé, nous dit Piranèse, à l'extérieur de la Porta del Popolo. Il nous montre bien comment la ruine peut représenter l'élément parfait pour étudier un monument antique. Sa dégradation même permet de déchiffrer son mode de construction qui est mis à nu, et de percer ses secrets. Il est vraisemblable que les bas-reliefs et inscriptions, figurés au sommet, n'étaient pas si bien conservés que ceux que nous présente le graveur, mais, comme toujours, son imagination «reconstructrice» le pousse à idéaliser le passé.

Urnes, cippes, et vases funéraires (Focillon 279) ▶
Antichità Romane T. II (1756)

Piranèse commence par graver les *Monumenta Sepulcralia Antiqua*, et décide alors que le sujet vaut d'être élargi à un ouvrage entier. Son imagination et son goût du décor sont parfaitement sensibles dans l'ensemble des vases et des stèles qui dominent cette composition. Les fragments antiques reconstitués par le graveur, sont entassés de façon à mettre en valeur le contraste des formes carrées et des formes arrondies, intensifié par les jeux de lumière. Piranèse a pu voir ces grandes urnes funéraires non seulement sur la via Appia, mais aussi dans les jardins des grandes villas à l'extérieur de Rome. Ainsi en est-il une,

fort semblable à celle représentée sur cette gravure, placée devant le soubassement de la Villa Doria Pamphili. Lui-même développera plus tard le thème du vase, cher aux architectes du XVIIIe siècle et, à l'instar de ses confrères français, se montrera, dans la série des *Vasi*, encore attaché à des modes d'expression très baroques. En 1764, il ornera de stèles et de vases la place des Chevaliers de Malte, à l'entrée du prieuré qu'il remodèle. Il lui conférera ainsi une ambiance funèbre, annonçant la fonction de sépulture de la chapelle, et qui n'est pas sans rappeler la gravure ci-dessus.

GIVLI·CAESARL
LAPPAES

DIS MANIBVS
CORNELIAE ONICI·
CONIVGI·CARISSIM·
ET·VOLVSIAE·BES
FILIAE·PIISSIME·
Q·VOLVSIVS·TROP
FECIT

URNE CIPPI E VASI CENERARI DI MARMO N.

A

DIS·MANI
CINQVEI
VIPONTV
MENSESIII
DIES·VE

ILAVOI
POMPO
AMBIT
IANIO
NERO

VILLA CORSINI FUORI DI PORTA S. PANCRAZIO

Palmi Romani

Tombeau de Cecilia Metella,
méthode de construction (Focillon 335)
Antichità Romane, T.III (1756)

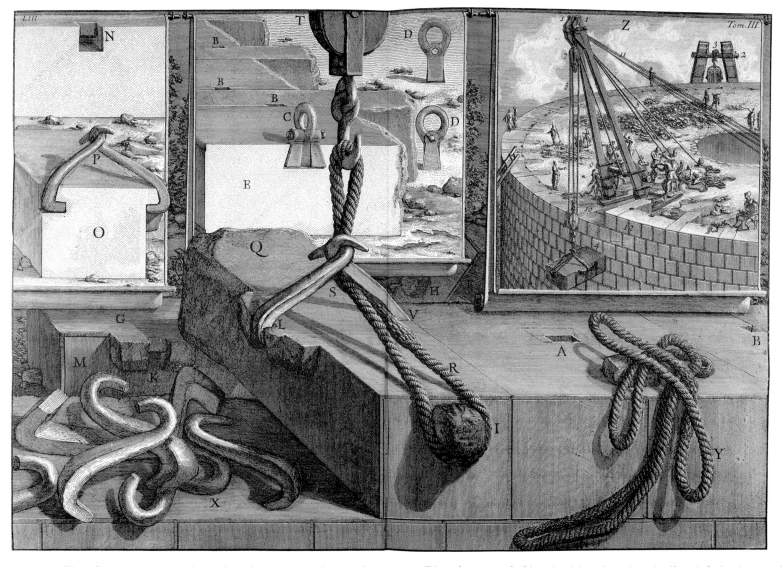

Piranèse consacre cinq planches au tombeau de Cecilia Metella, qu'il a déjà représenté dans les *Vedute*. Celles-ci sont très représentatives du soin qu'il apporte à l'étude proprement archéologique. La vue d'ensemble est accompagnée d'un plan et d'une coupe auxquels il ajoute les détails de la structure; des lettres renvoient à une légende précise. Cette méthode d'analyse n'est plus uniquement fondée sur l'étude des seuls caractères externes de forme et de décor, comme cela se pratiquait à l'époque, mais sur celle de l'agencement interne et des matériaux constitutifs.

Piranèse se révèle ainsi le pionnier de l'archéologie moderne, même si ses restitutions sont inévitablement entachées d'erreurs. Piranèse, ayant détaillé le plan, la coupe et l'assemblage des matériaux de cette tombe, s'ingénie ici à retrouver, et à imaginer, l'appareillage et l'outillage qui ont servi à sa construction. Dans la vignette supérieure une énorme machine pourvue d'un treuil sert à hisser les blocs de marbre, à l'aide de câbles et de forts crochets métalliques. Ces blocs étaient alors placés en parement de la masse de blocage.
Comme toujours le graveur, en véritable archéologue, indique avec beaucoup de précision la manière dont se faisait chaque opération.

◄ Vue du pont Fabrizzio (Focillon 351)
Antichità Romane T.IV (1756)

Coupe du pont Fabrizzio (Focillon 355)
Antichità Romane, T.IV (1756)

Le pont Fabrizzio, voisin du théâtre de Marcellus, permet d'accéder à l'«isola Tiberina», et, au delà, au Transtévère. Pour l'étudier, Piranèse applique son savoir de praticien à l'examen des monuments romains. Il avait appris à connaître les problèmes de construction des ponts dans ses jeunes années à Venise, auprès de son oncle Matteo Lucchesi. Pour lui un pont n'est pas seulement un système de proportions et de modules, doublé éventuellement d'un simple décor. Mais c'est une construction qui repose sur des assises et des fondations,

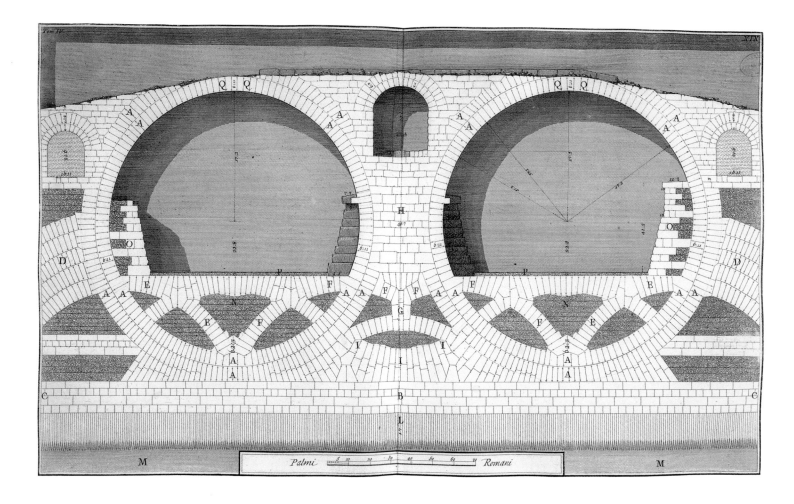

lesquelles ont un volume qui mérite d'être sondé. Il consacre trois gravures à celui-ci. La vue contemporaine est accompagnée de son aspect antique restitué, et de la coupe. L'architecte a certainement effectué quelques sondages pour vérifier le bien-fondé de cette dernière. Il peut ainsi préciser que les cercles qui forment les grandes arches sont composés d'une double rangée de claveaux en travertin et en tuf. Ils reposent sur un vaste soubassement, qui s'étend bien au-delà de la largeur du pont. Des éperons semi-circulaires, formés de cinq rangs de tuf, reposent sur ce soubassement, et étrésillonnent l'extérieur et l'intérieur des arches circulaires. Le tout repose sur une palissade en bois fichée dans le sol. Il ajoute que, grâce à cet assemblage admirable, le pont a traversé les siècles sans donner le moindre signe de faiblesse.

Vue de la pyramide de Caius Cestius (Focillon 322)
Antichità Romane, T.III (1756)

La pyramide de Caius Cestius est le seul monument ancien de ce type en Europe, et qui ait été conservé (celle qui était voisine du Vatican a été démolie dès le XVe siècle). Piranèse la considère certainement comme le témoin de la domination romaine dans la vallée du Nil à partir du Ier siècle av. J.C., et il prouve en même temps que les Egyptiens, comme les Etrusques, ont participé à l'élaboration de l'art romain.
Bien rares sont les Français qui ne s'inspirent pas de cette pyramide. Jean Barbault la grave pour son ouvrage *Plus beaux monu-*

ments de Rome ancienne, qui veut concurrencer celui de Piranèse. Mais, s'il reprend les planches du Romain, il n'arrive pas à les égaler. Sa pyramide n'en a ni le caractère ni le pittoresque.

La plupart des artistes y trouvent l'élément idéal d'une composition imaginaire. Ainsi Nicolas-Henri Jardin, dans son ouvrage sur l'église royale de Copenhague, reproduit une chapelle sépulcrale, en forme de pyramide, dessinée lors de son séjour romain. De même Jean-Charles Delafosse dessine-t-il un mausolée en forme de pyramide, et un paysage de ruines avec sphinx et pyramide. Hubert Robert à son tour propose un sarcophage devant une pyramide. Les exemples pourraient être multipliés, mais il en est un qui ne manque pas d'humour, celui du Jeune Moine à la Grecque d'Ennemond-Alexandre Petitot, qui est en forme de pyramide.

La pyramide conservera longtemps son prestige. Etienne-Louis Boullée, l'architecte visionnaire dont les projets sont qualifiés de «révolutionnaires», dessine un cénotaphe dans le genre égyptien (sic). S'il affirme ne pas apprécier les gravures de Piranèse, il subit, malgré lui, leur influence.

Ostie, Déversoir de la Cloaca Maxima dans le Tibre (Focillon 934)
Della Magnificenza ed Architettura de'Romani (1761)

L'ouvrage *Della Magnificenza ed Architettura de'Romani*, préparé de 1756 à 1760 est publié en 1761. Il peut être considéré comme la suite des *Antichità*. Il comporte essentiellement deux cent douze pages de texte in-folio, et seulement quarante planches. La *Magnificenza* est tout ensemble un traité, une apologie et un pamphlet. L'auteur récuse les recherches effectuées en Angleterre, puis en France, et qui tentent de réhabiliter l'art gothique qu'il considère commme barbare. Il est blessé par l'affirmation que les Romains n'étaient que des maçons jusqu'à l'arrivée des Grecs. Les premières gravures sont consacrées à la Cloaca Maxima, cet énorme égout de Rome, qui se déverse dans le Tibre. Il en indique le tracé et son débouché vers le fleuve, et met l'accent sur la formidable structure qui l'enserre. Il dessine avec une parfaite précision la voûte de son orifice, et dans une vignette en détaille la stéréotomie. Les minuscules personnages qui gesticulent sur le sommet ne sont là que pour accorder aux anciens Romains une stature de géants.

Within the illustration:

Tab. II

SCENOGRAPHIA
CAMPI MARTII
veterum aedificiorum reliquias
oštendens
e ruderibus nostrique aevi aedificiis
exemptas
cum ejusdem Campi celebriorum
monumentorᵘ congerie

Scénographie du Champ de Mars (Focillon 437)
Il Campo Marzio dell'Antica Roma (1762)

A l'époque de la parution de cet ouvrage, Piranèse a quitté le palais Tomati et s'est installé sur la «piazza de San Ignazio».

Le *Campo Marzio* est dédié à l'architecte anglais Robert Adam, qui a été un véritable ami durant son séjour à Rome : «al chiarissimo signor, il signor Roberto Adam».

Si la *Magnificenza* est pratiquement la suite des *Antichità*, le *Campo Marzio* pourrait en être le tome V. Sa valeur archéologique est bien sûr entièrement contestable. Le sujet est d'une difficulté et d'une ambition extrêmes, mais il ne faut pas oublier que Piranèse à cette époque s'identifie complètement aux anciens Romains.

La scénographie met en parallèle l'emplacement dénudé au bord du Tibre où la ville n'existe pas encore, et les vestiges, qui seuls subsistent aux temps modernes. Les quelques monuments qui sont figurés et numérotés, ont pour unique but de situer leur futur emplacement dans une topographie vierge. Les ruines de la ville prestigieuse des Romains, au premier plan, mettent en évidence ses origines variées. Ainsi de grosses pierres taillées portent des hiéroglyphes égyptiens.

Ichnographia (plan) (Focillon 440, V, 1re feuille)
Il Campo Marzio dell'Antica Roma (1762)

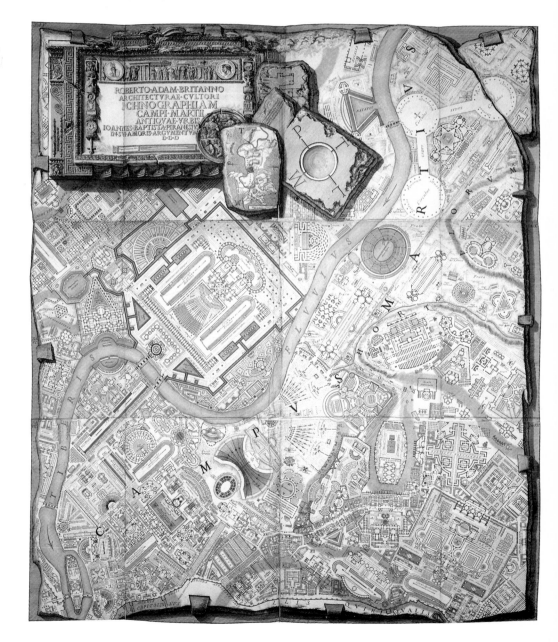

Dans ce plan, Piranèse semble réinventer la Rome impériale. Il s'agit en fait d'une vision de son imagination foisonnante, sans véritable rapport avec les multiples références littéraires sur lesquelles il prétend s'appuyer. Ses sources véritables sont celles que lui ont livré des érudits tels que Valeriano, auteur de *Hieroglyphica* (1575), Fisher Von Erlach, et W. Wharburton, lequel a écrit un *Essai sur le hiéroglyphe des Egyptiens*, en 1744.

C'est effectivement un système comparable à celui des hiéroglyphes que Piranèse met au point : il «combine un petit nombre de formes simples, divisées ou multipliées dans un infini apparent [...] Le Temple de Mars, parmi les hiéroglyphes du Campo Marzio, prend manifestement la forme d'une chouette [...] symbole de la mort»[1] Plus complexe encore, le groupe de l'Area Martis est basé sur un schéma maçonnique contemporain.

Cette méthode ne passe pas inaperçue des architectes français, et Claude-Nicolas Ledoux en particulier va s'y essayer. Citons par exemple la Carte générale de la ville de Chaux, figurée sous la forme de la fameuse «goutte d'eau», et le plan de l'Oikema, la «maison de plaisir» où «L'Hymen et l'Amour vont conclure un traité»[2].

1 Serge Conard, *De l'architecture de Claude-Nicolas Ledoux, considérée dans ses rapports avec Piranèse, Piranèse et les Français*, Actes du colloque, Rome, 1976, (1978).

2 Claude-Nicolas Ledoux, *L'architecture considérée sous le rapport de l'art, des mœurs et de la législation*, 1804.

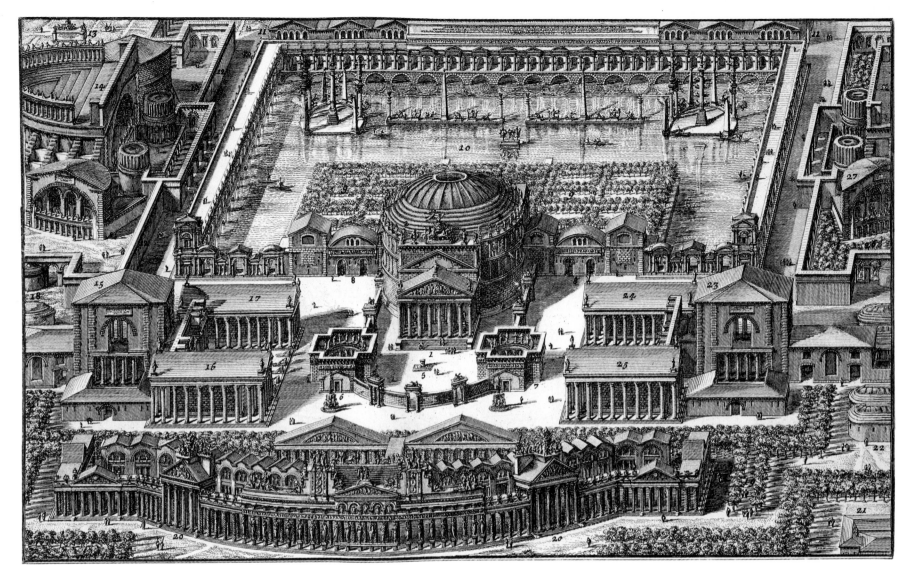

Scénographie du Panthéon (Focillon 479b)
Il Campo Marzio dell'Antica Roma (1762)

Piranèse, après avoir établi le plan de Rome, lui confère la troisième dimension. Une grande fantaisie règne dans ces quelques planches dont le point de départ est un monument réel, tel que le Panthéon. Il est intéressant de noter qu'apparaissent des éléments grecs et égyptiens dans les décors. Ainsi la longue arcade du premier plan est-elle entièrement ornée de caryatides grecques.

Le 7 avril 1762, Natoire, le directeur de l'Académie de France à Rome, écrivait au marquis de Marigny, directeur des Bâtiments: «Cet artiste laborieux [...] me propose de vous envoyer son Campo Marzio qu'il vient de livrer au public, où son imagination a eu de quoi travailler dans des espaces imaginaires; malgré ses idées, je crois qu'on peut en tirer bien des lumières, et l'exécution de ses ouvrages est toujours agréable à voir.»

Vue de la façade de la basilique ▶
Saint-Jean-de-Latran (Focillon 724)
Vedute di Roma (1748-1778)

La basilique de Saint-Jean-de-Latran est la cathédrale de la ville de Rome, et le pape est son évêque (la basilique Saint Pierre étant celle de la Cité du Vatican). Elle est orientée vers l'ouest, au contraire du schéma traditionnel. Elle a été modifiée

maintes fois au cours des âges depuis sa construction par l'empereur Constantin. A l'intérieur, la nef a été aménagée par Francesco Borromini en 1650.
La façade est plus récente : elle a été réalisée par Alessandro

Galilei en 1732, sous le pontificat de Clément XII. Galilei a passé cinq années en Angleterre, de 1714 à 1719, et l'on peut percevoir dans la façade de Saint-Jean, une certaine parenté avec l'architecture du vieillissant Christopher Wren. Cependant la façade, gravée par Piranèse, montre clairement ses racines proprement romaines.

Elle combine, entre autres, des éléments empruntés à la façade de Saint-Pierre par Carlo Maderno, et d'autres au Capitole de Michel-Ange. La grande différence entre la façade de Galilei et celle de Carlo Maderno tient au fait que la première est pratiquement ouverte, de sorte que le clair-obscur est amplifié, et que la colonnade et l'entablement sont nettement soulignés.

Veduta interna della Basilica
di S. Giovanni Laterano

Vue intérieure
de la basilique de
Saint-Jean-de-Latran (Focillon 726)
Vedute di Roma (1748-1778)

Piranèse ne savait peut-être pas encore que lui serait confiée la décoration du chœur de la basilique, lorsqu'il en grave l'intérieur. Cependant son goût pour les œuvres de l'architecte Borromini, qui a réalisé l'intérieur de la nef en 1650, l'incite à en graver une vue particulièrement détaillée.

La tâche de Borromini, en 1646, n'est pas aisée, car le pape Innocent X insiste pour conserver la basilique primitive. L'architecte imagine alors d'englober deux colonnes consécutives de la vieille église dans un vaste pilier, et de le flanquer d'un ordre colossal de pilastres, sur toute la longueur de la nef. Il dispose en outre un édicule, abritant une statue de marbre, devant la face de chacun d'eux.

Il semble que Borromini ait eu, dès le début, l'intention de voûter la nef, mais Innocent X souhaitait ne pas modifier le plafond à caissons du XVIe siècle.
A la mort du pape, Borromini retrouve l'espoir de mener à bien ses propres plans, et exécute un dessin de voûte (conservé dans une collection privée) représentant le projet initial. L'architecte avait également prévu un réaménagement complet du transept et de l'abside, dans laquelle il envisageait déjà de créer un déambulatoire. Mais, comme le montre la «veduta» de Piranèse, il n'a pas la possibilité de mener ces projets à bien : en 1763 l'autel papal (seul le pape peut y dire la messe), et son baldaquin médiéval, sont toujours situés à la croisée du transept, et le cul de four de l'abside est toujours décoré des mosaïques d'origine. En fait Alexandre VII, pas plus qu'Innocent X, ne s'était montré enclin à accepter des transformations majeures, impliquant la démolition du chevet existant.
Il est intéressant de remarquer que Piranèse sera confronté aux mêmes problèmes, bien que ce soit sans doute pour des raisons différentes.

Dessin de présentation du premier projet d'aménagement du chevet de Saint-Jean-de-Latran, coupe longitudinale du mur sud

En 1763, Piranèse se voit confier l'aménagement de l'abside de Saint-Jean-de-Latran. Il va réaliser cinq projets consécutifs, parmi lesquels les deux premiers sont assez semblables. La coupe longitudinale du premier (plume et encre grise, rehauts d'encre brune) indique que celui-ci est assez limité. Il ne concerne que l'abside et le chœur, sur lesquels Piranèse plaque un décor borrominien, qui conserve le schéma du XVIIe siècle, pilastres corinthiens, *oculi* ovales encadrés de guirlandes et tableaux sculptés. Mais le transept n'est pas modifié : il a été reconstruit par Giacomo della Porta à la fin du XVIe siècle, et est décoré de fresques, en particulier celle de l'Ascension, due au «Cavaliere» d'Arpino. L'autel pontifical, qui n'est en rien modifié, reste à la croisée du transept. Le second projet ne diffère du premier que par l'adjonction dans l'abside de deux niches latérales à frontons, destinées à recevoir des statues.

Il est certain que ces projets, peut-être trop modestes, ne sont pas réellement satisfaisants.

Tavola Terza.

Sezione ortografica di fiano ... della Tribuna, del Presbiterio, e dell'Esedra della Basilica ... Lateranense ... inati con architettura corrispondente a quella della gran Nave.

Cav.^r G.B. Piranesi fece

Dessins de présentation du troisième projet de Saint-Jean-de-Latran, plan et coupe longitudinale du mur sud

Ces dessins, à la plume et encre grise, avec rehauts d'encre brune, sont ceux du troisième projet pour Saint-Jean-de-Latran. Celui-ci présente des transformations majeures par rapport aux précédents, et est infiniment plus ambitieux. Piranèse prévoit en effet un déambulatoire monumental, séparé de l'abside par une colonnade, qui la voile sans la masquer complètement. Cette colonnade est inspirée de celle qui orne l'intérieur du Temple de Vesta, de la *Prima Parte*: une colonnade en demi-cercle, qui n'est pas un organe de support, et qui est abritée par un dôme à caissons.

L'importance accordée à l'ordre permet de rapprocher Piranèse de ses confrères français, en particulier Jacques Germain Soufflot à l'église Sainte-Geneviève (l'actuel Panthéon).

Cependant il met également en valeur leurs divergences dans la conception de l'ornement : au contraire de ses confrères français, Piranèse privilégie la richesse comme le font Filippo Juvarra et Guarino Guarini. En outre, il met en pratique ses théories personnelles. Ainsi le traitement des colonnes est-il entièrement différent de celui qui figurait dans la *Prima Parte*. L'architecte imagine des décors dont les éléments sont empruntés au vocabulaire antique, mais qui n'obéissent plus en rien aux règles vitruviennes, et sont développés dans la publication des *Parere su l'Architettura* qu'il commence alors à graver.

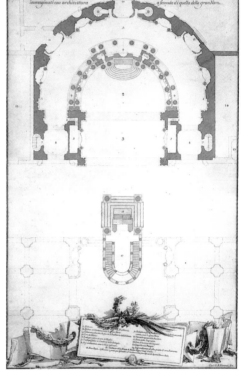

Dans l'espace central ménagé par les deux colonnades latérales qui limitent le déambulatoire, Piranèse installe un écran de colonnes intermédiaires légèrement en retrait, et fermé d'un mur orné de niches à frontons. Nous voyons clairement que dans ce troisième projet il fait appel à un vocabulaire décoratif totalement antivitruvien, et qu'il réalise, dans la pratique, les décors qu'il imagine dans les gravures des *Parere su l'Architettura*. Leurs éléments, inspirés de l'Antiquité, sont tirés pour la plupart de ses propres publications telles que la *Magnificenza*, et sont réarrangés de façon à exprimer un rejet total des strictes règles classiques. Les colonnes cannelées, portées par un stylobate, renouent fortement avec la tradition maniériste en s'ornant de bagues, et celles-ci sont décorées soit de motifs classiques comme une grecque, soit même d'un tableau sculpté qui s'enroule autour du fût. Bases et chapiteaux sont proprement inclassables. Le fronton est inséré dans un attique, décoré de l'aigle des Rezzonico, d'anges aux ailes repliées, et de guirlandes qui soulignent les rampants.

Dessin du dernier projet pour l'abside de Saint-Jean-de-Latran, section longitudinale du mur nord montrant le chœur, le transept et l'entrée de la nef

Pour un projet aussi solennel que celui de Saint-Jean-de-Latran, église cathédrale de Rome, Piranèse ne pouvait sans doute pas aller trop loin dans le «capriccio» architectural. Il se devait de faire preuve d'une certaine réserve, aussi imagine-t-il encore deux projets qui sont un compromis, alliant la modération des deux premiers, avec la richesse décorative du troisième. Le quatrième conserve encore le concept du déambulatoire à colonnade, dont la structure est toutefois simplifiée.

Le plan du cinquième et dernier, indique que l'autel papal et son baldaquin sont alors situés à l'entrée du chœur. La section longitudinale est celle d'un projet plus mesuré dans son décor que les précédents, mais qui implique un gros œuvre important. L'abside est plus vaste, et parfaitement cohérente. Son extrémité occidentale (nous avons vu que l'église était orientée à l'ouest), de même que le chœur agrandi et le transept, suivent le schéma borrominien, et sont donc en parfait accord avec la nef. L'allongement du chœur permet l'ajout de portes latérales, surmontées de fenêtres en serliennes, répétant celles du fond de l'abside et, comme elles, empruntées à la nef de Borromini. L'architecte restitue ainsi le rythme ternaire de son prédécesseur. Ce dernier projet est sans doute le plus parfait, mais Clément XIII n'y souscrit pas et il est abandonné, comme les précédents.

Place des Chevaliers de Malte
et mur d'enceinte du prieuré

En 1764 Piranèse entreprend les travaux de rénovation du prieuré des Chevaliers de Malte, sur l'Aventin, à la demande du cardinal Rezzonico, prieur de l'Ordre. L'une des premières tâches qui lui est assignée est celle de créer devant l'entrée une sorte de place d'armes, prologue du prieuré. Il élargit le petit chemin qui y mène, le Vicus Armilustri, et agrandit l'espace en y annexant une parcelle de terre, prise aux vignes voisines. Le décor qu'il y crée est totalement étrange. A l'opposé de l'entrée du prieuré, sur le mur sud, trois stèles de hauteurs différentes créent un rythme syncopé, et engendrent une ambiance funèbre. Les stèles latérales sont flanquées d'obélisques, et toutes portent des reliefs sculptés. Des urnes et des vases ornent le mur bas.

L'iconographie est extrêmement complexe; elle mêle les symboles militaires et religieux de l'Ordre : boucliers, trophées ou épées, mais aussi la croix, ainsi que les symboles particuliers aux Rezzonico, la tour crénelée et l'aigle bicéphale. Piranèse y ajoute bien d'autres éléments, qu'il faut déchiffrer comme un véritable rébus; ainsi la flûte de Pan fait-elle allusion aux origines bucoliques de l'Aventin, lorsqu'il était habité par les Etrusques. Les serpents omniprésents ont été lus par les auteurs de différentes manières qui, du reste, ne s'excluent pas les unes les autres. S. Pressouyre y voit le symbole de mort, qui annonce la destination du prieuré, celle d'abriter les tombeaux des Chevaliers. M. Tafuri, quant à lui, évoque l'autre nom de l'Aventin : mons Serpentarius, et J. Wilton-Ely nous rappelle que, selon Tite-Live, le serpent symbolique est consacré à la déesse Bona, et pourrait souligner la fonction médicale de l'Ordre. Partout la poétique ornementale de Piranèse métamorphose le réel; ainsi deux boucliers peuvent-ils devenir des ailes.

Prieuré des Chevaliers de Malte, portail d'entrée

Piranèse n'avait pas à construire le mur du portail du prieuré, qui existait déjà. Il s'est contenté de repiquer et de rhabiller mur et portail de décors stuqués, comme il le fait pour l'église. L'entrée est monumentale, le portail à fronton est encadré de murs à fausses fenêtres, qui préexistaient peut-être. Mais le décor imaginé par l'architecte est en complète contradiction avec la structure classique. L'entablement se réduit à l'architrave, aussi les modillons à *guttae*, en forte saillie, empiètent-ils sur la partie haute du mur, jusqu'à reposer sur l'encadrement des tableaux sculptés au-dessus des fenêtres aveugles. A l'aplomb des pilastres, ces modillons se télescopent avec les chapiteaux, les éliminent et prennent leur place. L'architecte crée un système entièrement nouveau qui fait éclater l'ordre classique. Le décor sculpté en bas-relief témoigne de la curiosité érudite de l'archi-

tecte, qui multiplie les symboles, ceux des Rezzonico : l'aigle bicéphale, la demi-lune, la croix, la tour; ceux de la fonction militaire de l'Ordre : casques, épées, mais aussi mousquets; et des attributs marins : ancre et aplustre (extrémité, en forme d'éventail, de la poupe d'un navire de guerre) et chénisque (ornement en forme de col de cygne de la proue).
Dans le trophée au-dessus de la porte se retrouve, comme partout dans le prieuré, le mélange de symboles religieux et militaires, la croix est abritée par un casque d'Athéna Parthénos, en fort relief. La proue de navire, qui figurait déjà sur une des planches de la *Magnificenza*, a été copiée sur celle de la colonne Trajane, et le tout est disposé sur un fond d'étendards et d'armures. Sous les modillons des pilastres, la croix de Malte est bien mise en évidence.

Santa Maria del Priorato, façade de l'église

La façade, telle qu'elle se présente actuellement, n'est qu'un pâle reflet de celle qu'avait érigée Piranèse, et qui nous est connue par un dessin. Il avait en effet coiffé le fronton triangulaire d'un massif puissant, couronné latéralement de blasons hexagonaux, et en son centre d'un élément ovoïde, de telle façon qu'il invertissait la hiérarchie des membres architectoniques de l'ordre classique.
Il expérimentait ainsi les principes qu'il cherchait à substituer aux normes vitruviennes.

La façade, endommagée par les tirs de l'artillerie française en 1849, a retrouvé, lors de la restauration, une structure classique qui trahit l'œuvre de Piranèse. Comme à l'entrée, l'iconographie complexe combine des motifs militaires d'origine antique, d'autres, propres à l'Ordre, avec les symboles des Rezzonico. Les préoccupations archéologiques de l'architecte sont intimement mêlées à sa quête inlassable d'une esthétique nouvelle. Ce rejet du vitruvianisme est également sensible dans le décor.
Un sarcophage cannelé coiffe la porte strictement classique, et annonce le maître-autel.
Il est cantonné de

consoles dont les volutes se sont muées en serpents. Les chapiteaux composites des pilastres cannelés, au gorgerin décoré de feuilles d'eau, sont centrés sur la tour des Rezzonico, elle-même cantonnée de sphinx dont l'arrière-train s'adapte aux courbes des volutes.

Piranèse en a trouvé l'inspiration dans un fragment antique conservé dans les collections de la Villa Borghese.

Les initiales «FERT» (Fortitudo eius Rhodum tenuit), qui portent les anges flanquant la porte, font référence à la défense héroïque de Rhodes par les Chevaliers.

Le bas-relief qui orne le fronton doit beaucoup aux trophées de Domitien. La cuirasse de gauche vient des Trophées dits d'Auguste, celle de gauche est la reproduction de la cuirasse «de Mars Ultor».
Il s'en échappe des banderoles chargées d'emblèmes de la Passion.

L'impression d'ensemble de cette façade sans relief, est celle de rigidité, symbole expressif de la mort.

Dessin de la façade
d'origine de la
chapelle (dessin
anonyme).

Nef de Santa Maria del Priorato

A l'intérieur, la rigidité de la façade fait place à un sentiment d'espace et de mouvement, et ce malgré des dimensions relativement modestes. La nef aux bas-côtés fractionnés est terminée par une abside à cul de four. L'articulation des travées par des pilastres cannelés d'ordre ionique, n'est pas sans rappeler le traitement de Saint-Jean-de-Latran par Borromini. Les chapiteaux de ces pilastres sont d'ordre ionique, mais leur classicisme est, de façon très piranésienne, agrémenté d'éléments symboliques. Au centre figure l'aigle bicéphale et la couronne; autour des volutes ioniques s'enroulent des serpents naturalistes, comme le sont les fleurs des guirlandes qui ornent le gorgerin.

Les chapelles latérales accueillent les monuments funéraires, de dates variées, des dignitaires de l'Ordre. Le décor qui somme ces monuments, reprend le thème des Vanitas, traité de façon emblématique : les grands blasons de gloire et de mort, avec des crânes, flambeaux renversés, armes et nœuds de vipères, sont marqués d'une tiare pontificale pour le premier, d'une mitre épiscopale pour le second, et d'une couronne royale pour le troisième.

La voûte à côtes, avec son rythme diagonal, rappelle celle de la chapelle de la Propagation-de-la-Foi, due à Borromini. Elle est dominée par un curieux relief, centré sur le triangle de la Trinité. L'attention, toutefois, est focalisée par l'autel qui occupe presque tout l'espace de l'abside.

La nef est dominée par le groupe mouvementé qui s'élève à l'arrière du maître-autel, et somme un extraordinaire et judicieux agencement de masses. A l'arrière de la table d'autel, un vaste sarcophage cannelé de feuilles d'eau porte le soubassement massif, orné d'une frise piranésienne, d'une structure complexe. Saint Basile, assis sur un globe, peut-être céleste, jaillit d'un second sarcophage en forme de navire. Une ambiguïté voulue règne à travers l'ensemble. Ainsi le sarcophage supérieur est un navire et les deux saillies latérales peuvent être interprétées comme les poignées d'une châsse processionnelle, ou comme les éperons d'un navire (tels ceux des trirèmes antiques). L'équivoque «militaire-religieux» se poursuit. Des *putti* s'ébattent sur le sarcophage, tandis que sur le globe des anges soutiennent saint Basile, mains écartées, et les yeux tournés vers la lucarne ouverte dans la voûte au-dessus de lui.

Le maître-autel du premier plan reprend le thème du sarcophage qui figure à la façade. Il est cannelé de feuilles d'eau, centré sur un ovale encadré de guirlandes, et l'ensemble de son décor est à la fois riche et empreint d'une extrême élégance.

Décor sculpté de la voûte de Santa Maria del Priorato

L'important décor sculpté qui occupe une partie de la voûte de l'église poursuit toujours le même programme iconographique. L'équivoque de la symbolique est peut-être plus troublante encore ici. Le triangle de la Trinité apparaît comme une voile de navire entourée d'anges, de roses, mais également d'armes, de boucliers et de casques romains. Elle porte une croix en son centre, mais elle est fixée à un mât fiché dans un ensemble de deux proues qui figurent une coque. Au sommet du mât, la cotte d'armes des Chevaliers est sommée de la tiare pontificale, et des croix de Malte ornent les clefs de saint Pierre. Saint Jean, protecteur de l'ordre figure comme il se doit sur le gouvernail. Tout l'espace disponible, dans le cadre de lauriers tressés, est occupé par une structure rayonnante qui met l'accent sur l'aspect divin du tri-angle de la Trinité. Piranèse a pu trouver la plupart des sources de cette iconographie dans ses propres publications. Les *Antichità Romane* renferment une importante symbolique de la mort, mais reproduisent également un navire de guerre, dont l'architecte avait trouvé le modèle dans les bas-reliefs du Capitole. Les planches des *Trofei di Ottaviano Augusto*, et la colonne Trajane, lui ont procuré nombre d'éléments de trophées, d'armes et d'armures. Un examen parfaitement minutieux de toutes les planches gravées des *Antichità*, des *Trofei* et de la *Magnificenza*, permettrait sans aucun doute de retrouver la plupart des modèles de Piranèse. Cependant seules les ressources d'une imagination sans bornes, doublée d'une intense sensibilité lui ont permis d'exprimer une telle poétique ornementale.

Frontispice des Osservazioni sopra la Lettera di M. Mariette

(1765)

En 1764 l'amateur et critique d'art français, P.-J. Mariette (dont les rapports avec Piranèse avaient été excellents) écrit, dans la *Gazette littéraire de l'Europe*, une critique de la *Magnificenza*, parue trois ans avant. Le graveur répond par les *Osservazioni sopra la Lettera di M. Mariette* aux auteurs de la *Gazette littéraire de l'Europe* (inserita nel supplemento dell'i tessa Gazette stampata, dimanche 4 novembre MDCCLXIV).

Le frontispice porte le titre de la réponse, en un curieux mélange d'italien et de français, entre les colonnes d'un ordre toscan. Sur la gauche est figurée la main du critique, à laquelle sont opposés les outils de l'artiste véritable, celui qui, grâce à son art, est plus à même de comprendre l'esprit créateur de l'Antiquité. Le texte de la réponse de Piranèse est bref mais vigoureux. Cependant ce dernier souhaite donner une leçon à Mariette; aussi ajoute-t-il les quinze planches des *Parere su l'Architettura*, dans lesquelles il expose la justification théorique de sa nouvelle philosophie concernant l'ornement. Cette théorie est exposée sous la forme d'un dialogue entre deux architectes, Didascolo et Protopiro. L'architecte commence déjà à la mettre en pratique à Saint-Jean-de-Latran, mais surtout à Santa Maria del Priorato. Il la développera plus avant dans les *Diverse Maniere d'adornare i Cammini*.

POVR·NE·PAS·FAIRE·DE·CET·ART·SVBLIME
VN·VIL·METIER·OV·L'ON·NE·FEROIT
QVE·COPIER·SANS·CHOIX

LE·ROY

Cavalier Piranese inv. e inc.

In Villa   *Ludovisia*

PI. XVIII de la
Magnificenza
(Focillon 946)

Dans cette planche Piranèse figure un ordre ionique portant un entablement colossal. Au centre figure l'inscription, en français: «Pour ne pas faire de cet art un vil métier où l'on ne ferait que copier sans choix». Cette remarque est-elle tout particulièrement destinée à Mariette? Il n'est pas interdit de le penser.

Il est intéressant de mettre cette gravure en parallèle avec la façade de Santa Maria del Priorato, mais également avec certaines planches de la *Magnificenza*.

Certes, Piranèse donne à l'entablement une ampleur fortement exagérée que n'a pas l'architecture réalisée, car il s'agit pour lui de faire clairement comprendre ses idées. A Santa Maria del Priorato il coiffe la façade d'un attique suffisamment puissant pour inverser la hiérarchie des membres architectoniques classiques.

Ici nous retrouvons des portes, telles celles du Priorato, flanquées de colonnes cannelées portant l'entablement. Elles sont ornées d'aplustres, souvenir de la symbolique «marine» du Priorato. Le fronton n'existe plus en tant que tel, il est seulement suggéré par l'arc de cercle au centre de la composition supérieure.

Certains des motifs décoratifs sont courants : palmettes, grecques, postes, pilastres, volutes d'acanthes. Les autres, inhabituels, sont pratiquement tous tirés des planches des *Antichità* ou de la *Magnificenza*. Les tableaux sculptés en bas-reliefs sont ceux des innombrables monuments funéraires et des sarcophages, illustrés dans deux tomes des *Antichità*. Les coquilles, et les dauphins enlacés, apparaissent dans les planches XVI et XIX de la *Magnificenza*, tandis que des têtes grotesques sont gravées sur la planche XVIII.

On peut noter que parmi les architectes français, Jean-Jacques Lequeu dessinera des décors, libérés eux-aussi des principes vitruviens; ainsi, et pour ne citer que lui, son Ordre symbolique de la salle des Etats d'un Palais National, en 1789.

Cavaliere Piranesi inv. ed inc.

◀ **Planche VI**, *Parere su l'Architettura* (Focillon 979)

(1764)

La planche VI des *Parere* illustre fort bien les propos de P. Junod : «Si l'art a une histoire, et que cette histoire est porteuse de sens, c'est que la création artistique s'inscrit, de par sa nature même, dans une dialectique de l'innovation et de la tradition qui sous-tend toute évolution des formes. On ne saurait surestimer la complémentarité de ces deux pôles.»[1] Piranèse est le type même d'artiste que son originalité rend inclassable.

Il refuse la simple copie, comme en témoignent les mots qui accompagnent la planche précédente «pour ne pas faire de cet art un vil métier où l'on ne ferait que copier sans choix».

Il fait, à de nombreuses reprises, l'éloge de la liberté de l'artiste et du génie de l'invention. Mais pour lui cette invention a le sens précis de «combinaison délibérée d'emprunts à diverses sources hétérogènes».* Il écrit, dans le *Discours apologétique en faveur de l'architecture égyptienne et toscane*, (1769) : «si les Egyptiens, et les Etrusques nous offrent dans leurs monuments du beau, de l'agréable, et de l'élégant, imitons-les.», et il ajoute : «un artiste [...] ne doit point se contenter de copier fidèlement les antiques; mais en les étudiant, il doit montrer un génie inventeur, et pour ainsi dire créateur [...].» Ces remarques sont sans doute celles qui illustrent le mieux la véritable esthétique piranésienne.

Planches XVI et XIX, *Magnificenza* (1761)

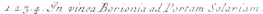

1 Ph. Junod, *Tradition et innovation dans l'esthétique de Piranèse*, Etudes de Lettres, n°3, 1983.

Cheminée dessinée par Piranèse pour le banquier ▶
John Hope, pl. II (Focillon 862)
Diverse Maniere d'adornare i Cammini (1769)

En 1769, Piranèse publie un ouvrage consacré au décor, les
Diverse Maniere d'adornare i Cammini. Les cheminées qu'il représente sont un prétexte, une source de motifs qui peuvent s'appliquer à
tout élément de l'architecture intérieure, ainsi qu'il l'explique dans
le texte d'introduction. Parmi les dessins, quelques-uns sont effectivement destinés à la réalisation de cheminées, et sont en général
des commandes, émanant en particulier d'Anglais fortunés.

Le titre de la gravure ci-contre mentionne que cette cheminée de
marbre se voit en Hollande, dans le cabinet du «Chevalier» John
Hope (elle est actuellement conservée au Rijksmuseum). En effet,
Hope est banquier et réside à Amsterdam. Le trumeau porte un
important décor floral émergeant de deux sphinx latéraux, lesquels
encadrent une fresque de danseuses, d'origine toute pompéienne.
Ce décor influencera en 1777 celui d'Osterley Park House

(Londres), dû à Robert Adam, mais également, en 1783, celui
de la boiserie du cabinet de Marie-Antoinette à Versailles, et de
son boudoir à Fontainebleau.

La frise de la cheminée est centrée sur un tableau
sculpté de trophées d'armes, et cantonnée d'aigles dont une
aile déployée retient une lourde guirlande de fleurs; elle
trahit fortement ses sources antiques.
Les piédroits sont des caryatides ornées d'une figure de gorgone,
de rubans et de thyrses. Les feuilles d'eau, perles, oves, dards et
denticules qui soulignent la tablette ainsi que la base des piédroits,
sont fort classiques, révélant sans doute davantage le goût du desti-
nataire que celui de l'artiste à cette époque. Sur la tablette est posée
une pendule dont les motifs décoratifs, grecque, guirlandes, festons,
sphinx, figure nue, anticipent déjà totalement le style Empire.

C h e m i n é e , p l . XXIII (Focillon 883)
D i v e r s e   M a n i e r e   d ' a d o r n a r e   i   C a m m i n i (1769)

Cette cheminée étrange, avec les structures latérales qui l'encadrent et semblent en être partie intégrante, prouve clairement le
but du graveur : fournir des éléments de décors. Le «style
Piranèse» apparaît nettement ici. Ses modèles sont essentiellement romains et étrusques, mais quelques motifs égyptiens y sont
intimement mêlés.

Il est quasiment impossible de détailler ces éléments, car toutes
les surfaces disponibles sont ornées, y compris l'extérieur des piédroits et l'ébrasement, qui portent des caryatides en forme de
lions à pattes d'hippocampes, d'inspiration pompéienne. Au

centre du manteau, un oiseau à l'intérieur d'une coquille est flanqué de deux dragons, de casques et d'armures. Chacun de ces
éléments, dont l'ensemble constitue un véritable catalogue, est à
l'évidence destiné à être utilisé de façon indépendante, et tous
peuvent être réassemblés au gré de l'imagination du décorateur.
Au-dessus, la tablette est centrée sur une Victoire ailée portant une
corne d'abondance, des symboles militaires, et couronnée d'un
globe terrestre; elle est inspirée des décors de la colonne Trajane.
De part et d'autre de la cheminée sont disposés deux sièges, dont
le dossier est surmonté d'un quadrige et dont la partie supérieure
n'est pas sans évoquer les décors de Santa Maria del Priorato.

125

◄ Cheminée à l'égyptienne, pl. X (Focillon 870)
Diverse Maniere d'adornare i Cammini (1769)

Cette cheminée, la seconde des cheminées verticales figurées dans *Diverse Maniere*, est l'une des plus réussies de l'ensemble. Sa conception est fort complexe, et son décor abondant est fragmenté. Le graveur confère un caractère infiniment pittoresque aux masses architectoniques, malgré leur ordonnance sévère et sans perdre le sens de la grandeur majestueuse, typique de l'art égyptien. L'ébrasement du foyer est élégamment incurvé grâce à la présence de deux grandes ailes de vautour, et prend un certain air «art nouveau». Les caryatides des piédroits sont en fait des «naophores» (petites chapelles renfermant l'image d'un dieu);

elles sont inspirées de sculptures de prêtres égyptiens, qui étaient alors conservées au musée du Capitole. La tablette est centrée sur une mandorle ornée d'une figure nue, et portée par deux sphinges. Elle est flanquée de vases canopes en forme de lotus, de têtes du bœuf Apis et d'obélisques. Les têtes d'Apis seront copiées en bronze pour la pendule de Thomas Hope, et apparaîtront sur la porcelaine de Meissen, lorsque l'Italien Camillo Marcolini dirigera la manufacture.
Le relief de la partie tout à fait supérieure est dérivé de la Table isiaque, et enrichi en son milieu du scarabée ailé.

Planche des *Diverse Maniere d'adornare i Cammini* (1769) illustrant la console pour le cardinal Rezzonico, reproduite ci-dessous

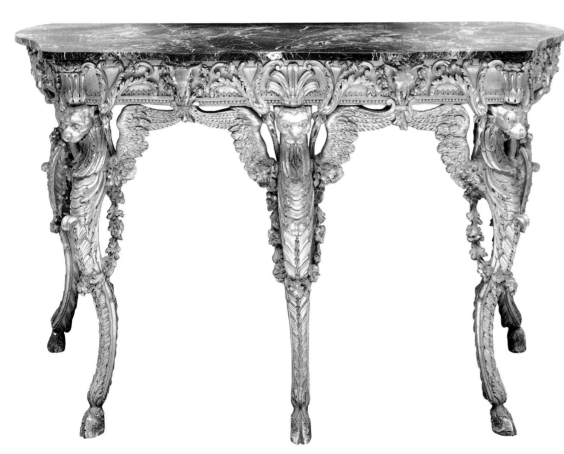

La console, dessinée à la demande du Cardinal Rezzonico, de même que la cheminée pour John Hope, sont des exceptions parmi les planches des *Diverse Maniere*.
Nous avons vu plus haut que celle-ci sont, dans l'ensemble, des planches d'ornemaniste.

La Console correspond au modèle donné par Piranèse; elle est toutefois nettement moins grêle, car le graveur n'est pas un ébéniste, et les contraintes techniques ne sont pas son fait. Les vases et la pendule ne sont pas vraiment destinés à accompagner la console, mais de simples motifs décoratifs; ainsi les deux vases sont-ils entièrement différents, et la pendule n'est en rien à l'échelle de la console.

**Décor mural du café des Anglais
(Rome, Piazza di Spagna), pl. XLV** (Focillon 906)
Diverse Maniere d'adornare i Cammini (1769)

Vers 1760 Piranèse est chargé de décorer le café des Anglais, sur la Piazza di Spagna à Rome. Celui-ci était fréquenté par un public cosmopolite, mais plus spécialement britannique, qui s'intéressait aux arts, ainsi que par des peintres. Le décor est immédiatement un objet de curiosité, il suscite l'admiration de certains, et devient sujet de polémique pour d'autres.

Le graveur fait figurer les modèles de ces décors parmi les cheminées, précisant que «ces ornements, qui servent à former un tout uniforme peuvent exister encore en peinture ; c'est ainsi que sont faits ceux du café des Anglais, que j'ai travaillés dans le goût égyptien.»

L'espace est conçu comme un portique en trompe l'œil sans toit, ouvrant sur un paysage égyptien. Au-dessus les animaux sacrés, le chacal, le crocodile, le bœuf , la guêpe et le vautour figurent dans un ciel rempli d'oiseaux. La décoration est luxuriante, et reprend les éléments des cheminées : hiéroglyphes, sphinx, obélisques, vases canopes, scarabées, fleurs de lotus, «oushebtis», figures humaines et animaux sacrés. Piranèse précise dans son texte qu'il considère ces composants comme l'étaient les gravures des *Antichità*. Le répertoire de Piranèse est étonnant, et les modèles qu'il emploie sont soumis à des transformations multiples ; il les fragmente, les reconstitue, et même les réinvente, comme il suggère de le faire à tous les architectes.

*Si è dimostrata la Pianta della stessa gran-
dezza del manico per far vedere l'architettura delle scanalature.*

*Dimostrazione in piana superficie delle foglie,
che adornano il gran corpo del Vaso.*

HOC · PRISTINAE · ARTIS
ROMANAEQ · MAGNIFICENTIAE · MONVMENTVM
RVDERIBVS · VILLAE · TIBVRTINAE
HADRIANO · AVG · IN · DELICIIS · HABITAE · EFFOSSVM
RESTITVI · CVRAVIT
EQVES · GVLIELMVS · HAMILTON
A · GEORGIO · III · MAG · BRIT · REGE
AD · SICIL · REGEM · FERDINANDVM · IV · LEGATVS
ET · IN · PATRIAM · TRANSMISSVM
PATRIO · BONARVM · ARTIVM · GENIO · DICAVIT

◀ Vase dit «Vase Warwick» (Focillon 602)
Vasi, Candelabri, Cippi (1770-1778)

De 1770 jusqu'à la dernière année de sa vie, Piranèse consacre une grande partie de son temps à restaurer et à vendre des vases antiques, à en réaliser des gravures, sans pour autant cesser de produire les *Vedute di Roma*. Ses activités sont donc essentiellement celles d'un homme d'affaires, et ne laissent en rien percevoir dans quelle direction évoluent ses idées concernant les grands problèmes théoriques du moment. Les vases sont vendus à de riches amateurs étrangers, tout particulièrement britanniques, et les gravures sont en général dédiées à d'autres; les profits qu'en tire Piranèse sont donc considérables.

Le vase, dit «Vase Warwick», a été acquis par Lord Hamilton, et la gravure lui est dédiée : «A son Excellence le signor Chevalier Hamilton, amateur de Beaux-Arts, Ministre plénipotentiaire de George III, roi de Grande-Bretagne, auprès de Ferdinand, roi des Deux-Siciles.», la dédicace ajoute : «Vue en perspective d'un vase antique en marbre de grande taille, trouvé en 1770 lors des fouilles et de l'assèchement du lac de Pantanello, près de Tivoli.» Le texte précise que le piédestal est moderne, mais que la facture du vase lui-même est une preuve de la perfection de l'art romain au siècle d'Hadrien.

Les recherches récentes sur ce vase démontrent clairement que la restauration, qui a permis d'en faire un objet aussi parfait, a été considérable. Ceci était vraisemblablement le cas de la majeure partie des objets qui sortaient des ateliers de Piranèse.

Vases (Focillon 635 et 670) ▶
Vasi, Candelabri, Cippi (1770-1778)

Certains des vases gravés par Piranèse, considérablement aidé par les artistes de son atelier, proviennent des fouilles qu'il fait effectuer à Tivoli. Cependant la demande pour les gravures est telle qu'il doit y ajouter des planches dont il trouve les modèles en différents endroits de Rome. Ainsi le premier ci-contre, dédié à «Al Illma Signora Harriet Walters», est un vase de marbre qui orne le jardin de la Villa Casali. Sa panse est sobrement godronnée, l'adoucissement porte une frise et l'épaulement un simple godron géométrique; le couvercle, orné de feuilles et d'une civette, ainsi que les anses en forme de chiens, sont entièrement naturalistes; tous ces éléments répondent parfaitement aux canons néo-classiques des années 1770-1780. Du second, de très grandes dimensions et aux formes étonnamment modernes, l'auteur nous dit qu'il se trouve dans la cour de l'église Sainte-Cécile au Transtévère; il est dédié «Al Signor Cav. Giovanni Cuthbert», et le graveur ajoute que ce grand vase antique en marbre est remarquable par l'élégance de ses poignées, qui en sont le principal ornement.

Ces deux vases montrent clairement l'extrême variété de la production des ateliers de Piranèse, qui répond aux souhaits de ses acheteurs. Leur forme dépouillée et leur ornementation sobre en font des objets dignes de plaire à tous les amateurs qui sont gagnés aux nouveaux canons du décor. Le premier peut être facilement rapproché des pièces d'orfèvrerie qui se créeront dans les ateliers parisiens à partir des années 1780, aussi bien celui de Robert-Joseph Auguste que ceux de Charles-Auguste Spriman ou de Jacques-Nicolas Roâttiers. Cependant la plupart des autres modèles ont encore des formes et des décors chargés, infiniment plus baroques que ceux-ci.

Candélabre ornant le tombeau de Piranèse à
Santa Maria del Priorato (Focillon 715)
Vasi, Candelabri, Cippi (1770-1778)

Les candélabres, de même que les tripodes,
sont très en faveur comme éléments de décor intérieur
au XVIIIe siècle. Celui-ci faisait partie de la collection
personnelle de l'auteur; il provenait du palais Salviati et
a été placé, après sa mort, auprès de son tombeau à
Santa Maria del Priorato. Son ornementation extrêmement
chargée montre bien que Piranèse favorisait les décors
baroques, et que lorsqu'il gravait des formes dépouillées
c'était essentiellement pour satisfaire ses clients.
La gravure est dédiée à un Britannique,
le «Sig. Carlo Morris».

La gravure de ce candélabre au décor complexe
est à l'évidence une prouesse technique. La
*Notice historique sur la vie et les ouvrages de
J.-B. Piranesi*, due à J.-G. Legrand, et rédigée en 1799,
précise : «Il gravait au vernis dur et ne croisait
jamais les tailles; une seule lui suffisait, mais il en
variait le sens pour chaque détail. Elle arrêtait
communément le contour des objets sans aucun
trait cerné. Il la plaçait toujours dans la direction de la
perspective, ce qui aide singulièrement à l'illusion
et au relief des objets. Il couvrait de ces tailles
ainsi arrangées avec intelligence la totalité de ses
planches, les grossissait ou les serrait pour
forcer ses teintes, sans réserver alors les touches
des plus vives lumières. Ce n'était qu'après ce travail
qu'il les plaçait avec du vernis mis au pinceau comme on
touche un dessin avec du blanc; de cette manière elles
acquéraient une franchise et un esprit infinis : la liberté de
l'exécution remplaçait alors la précision quelquefois servile de
la gravure ordinaire. Il mettait ensuite l'eau-forte avec un soin
et une patience dont on ne l'eût pas cru capable, couvrant à
mesure les parties à dégrader et revenant ainsi jusqu'à dix à
douze fois pour certaines planches : "Allons doucement se
disait-il, j'est [sic] fait trois mille dessins à la fois."

Vue de ce qui reste de Pesto (Focillon 583) *p. 136 et 137* ▶
Différentes vues de quelques restes de trois grands édifices de Pesto (1778)

En 1778 Piranèse, bien que malade, se rend à Paestum, au sud de Naples, et dessine une série de seize gravures. Sa démarche pourrait paraître étrange si l'on songe qu'il a consacré les dix années précédentes à réaliser des œuvres essentiellement profitables, sans aucun contenu idéologique. Mais ce voyage n'est pas le fruit du hasard; il est l'aboutissement d'une longue réflexion, par laquelle le graveur remet en question toute une partie de sa vie et de ses croyances. Il en reviendra en paix avec lui-même, pour s'éteindre à Rome.

Le commentaire de la première gravure mentionne : «Vue de ce qui reste encore des murs A de l'ancienne ville de Pesto, appelée par les Grecs Posidonia. Cette ville fut anciennement sous la domination des Lucaniens, et ensuite sous celle des Romains. Elle est située près de la mer à 70 milles de Naples.» Ainsi Piranèse ne mentionne-t-il en rien les Etrusques; il accepte enfin l'antériorité de l'architecture grecque, et les autres planches confirment entièrement ce changement d'attitude.

Les gravures détaillent d'une part un bâtiment considéré comme «le Collège des Anfictions», d'autre part les temples de Neptune et de Junon. Leur superbe facture permet une excellente évocation de la majesté de l'architecture hellénique; par ailleurs la méthode scientifique d'étude et de représentation de Piranèse aura constitué un remarquable apport à la connaissance des édifices de la Grèce archaïque.

Vue du temple de Neptune (Focillon 592) *p. 138 et 139* ▶
Différentes vues de quelques restes de trois grands édifices de Pesto (1778)

Le texte qui accompagne cette gravure est très significatif de l'état d'esprit de Piranèse à quelques mois de sa mort. Il accepte définitivement l'origine grecque de ces temples, leur antériorité par rapport à l'architecture romaine, et leur indéniable beauté. Ce faisant Piranèse explique la manière grecque de résoudre le fameux problème des triglyphes d'angle : «L'architecte a situé les triglyphes sur les angles D, selon la coutume des Grecs, et pour cacher l'inégalité des métopes, placées alternativement, il a rétréci les entre-colonnements E un peu plus que les autres A, et il a élargi les métopes F plus que celles de G qui en sont proches; il a aussi laissé les triglyphes tous d'une égale largeur, en sorte que celui qui considère ces deux altérations n'en est nullement choqué.» Il ajoute que «cette architecture grave n'est pas aujourd'hui intelligible pour tous ceux qui se transportent ici, et qui aimeraient mieux trouver d'autres ordres plus gracieux [...] en effet les anciens Romains lorsqu'ils donnèrent dans le luxe, recherchèrent l'architecture fardée, et la mirent plus en usage que les autres nations [...]. Les Grecs même, voulant adoucir l'ordre dorique, le chargèrent de quelques ornements, ce qui fut imité par les Romains au point qu'ils renchérirent encore sur leurs modes.» La conclusion de ce commentaire est l'aveu, aussi sincère que simple, de la grandeur de l'architecture grecque archaïque : «Pour ce qui est de ce temple, soit que ce fut la coutume de la nation, soit que ce fut la sagesse dans l'architecte, il est clair que cette entreprise fut conduite et terminée avec dignité par la supression de la plus grande partie d'ornements pour le rendre solide et grave.» C'est un Piranèse réconcilié avec lui-même, et avec la Grèce, qui disparaît le 9 novembre 1778.

Glossaire

Abside : espace intérieur de plan cintré ou polygonal ouvrant sur une pièce ou sur une nef.

Architrave : partie inférieure de l'entablement qui porte directement sur les chapiteaux des colonnes.

Attique : couronnement horizontal placé au-dessus d'un entablement, formé d'un corps rectangulaire, plus large que haut, d'une corniche, et généralement d'une base.

Bas-côté : nef latérale d'une église, dont la voûte est moins élevée que la nef centrale.

Base : pied d'un support vertical, formé habituellement d'un corps de moulures et d'une plinthe.

Blocage : maçonnerie de matériaux de différentes grosseurs, jetés pêle-mêle dans un bain de mortier.

Bossage : saillie d'un élément sur le nu de la maçonnerie.

Bucrane : motif ornemental figurant une tête de bœuf.

Caisson : compartiment creux d'un plafond, formé par l'entrecroisement des pièces de structure.

Canope : vase funéraire coiffé d'un couvercle figurant un animal ou être humain, qui servait dans l'Antiquité égyptienne à recueillir les viscères des morts.

Caryatide : statue soutenant une corniche sur sa tête.

Cella : mot latin désignant le lieu où était placée la statue d'un dieu dans le temple antique.

Chapiteau : élément formant épanouissement entre le corps de la colonne, du pilier ou du pilastre, et la charge.

Chapiteau composite : chapiteau romain qui réunit les feuilles d'acanthes du chapiteau corinthien, et les volutes du chapiteau ionique.

Chapiteau corinthien : chapiteau orné de deux rangs de feuilles d'acanthes entre lesquelles s'élèvent des volutes.

Chapiteau dorique : les chapiteaux doriques, très simples, sont surmontés d'une frise de triglyphes et de métopes.

Chapiteau ionique : chapiteau orné de deux volutes latérales.

Chapiteau toscan : forme simplifiée du chapiteau dorique, non surmonté d'une frise.

Chœur : partie de l'église réservée aux clercs, comprenant généralement le sanctuaire.

Claveau : pierre taillée en coin, utilisée dans la construction des linteaux, des voûtes, des corniches.

Clef de voûte : pierre taillée en coin (claveau), placée à la partie centrale d'une voûte et servant à maintenir en équilibre les autres pierres.

Colonne : support vertical formé d'un fût dont le plan est un cercle ou un polygone régulier à plus de quatre côtés, et généralement d'une base et d'un chapiteau.

Coupe : représentation d'un bâtiment selon une section verticale.

Couronnement : élément décoratif formant le faîte horizontal d'une élévation.

Dard : ornement en forme de fer de lance qui sépare les oves.

Déambulatoire : galerie qui tourne autour du chœur d'une église et relie les bas-côtés.

Denticule : ornement formé de petites dents.

Elévation : représentation graphique d'une des faces verticales d'un bâtiment ou d'un corps de bâtiment.
- ou encore : face verticale ou ensemble des faces verticales d'un bâtiment ou d'un corps de bâtiment.

Entablement : saillie au sommet des murs d'un bâtiment, supportant la charpente.

Feston : ornement architectural en forme de guirlande de fleurs ou de feuilles.

Fronton : couronnement d'un édifice, ou d'une partie d'un édifice consistant en deux éléments de corniches obliques, ou en une corniche courbe se raccordant avec la corniche d'un entablement.

Fût : corps d'une colonne. C'est habituellement un cylindre.

Gorgone : tête figurative représentant une femme avec une chevelure de serpents et la bouche ouverte.

Grecque : ornement composé d'un ensemble de lignes, à angle droit, revenant sur elles-même.

Guttae (gouttes) : petits cônes ornant le soffite de la corniche, ou bien la partie inférieure des triglyphes.

Iconographie : étude des diverses représentations figurées d'un sujet.

Massif : ouvrage de maçonnerie formant une masse pleine, servant généralement de soubassement ou de contrefort.

Métope : fraction de la frise dorique.

Module : unité de mesure adoptée pour déterminer les proportions des membres d'architecture.

Nef : partie d'une église de plan allongé, comprise entre le portail et l'entrée du chœur.

Nymphée : construction élevée au-dessus d'une source.

Oculus : mot latin désignant une petite baie en forme de cercle d'ovale ou de polygone, percée dans un mur ou dans une toiture (au pluriel : oculi).

Ordre : dans l'architecture antique et classique, système cohérent de proportions et de formes appliquées aux élévations. Les cinq ordres principaux sont : le Toscan, le Dorique, l'Ionique, le Corinthien, le Composite.

Ordre colossal : ordre s'élevant sur la hauteur de plusieurs étages, ou sur la plus grande partie de la hauteur d'un bâtiment.

Ove : ornement en forme d'œuf utilisé en architecture pour décorer les chapiteaux.

Piédroit : montant vertical soutenant la naissance d'une voûte.

Pilastre : membre vertical formé par une saillie rectangulaire du mur et ayant, par sa composition et par sa fonction plastique, les caractéristiques des supports.

Portique : galerie ouverte au rez-de-chaussée.

Rythme : distribution des grandes masses, des pleins et des vides, des lignes dominantes.

Serlienne : triplet formé d'une baie centrale couverte d'un arc en plein cintre et de deux baies latérales couvertes d'un linteau à hauteur de l'imposte de la baie centrale. Les baies latérales sont habituellement plus étroites que la baie centrale.

Sphinge : sphinx à tête de femme.

Sphinx : monstre ailé à corps de lion et à tête humaine.

Stéréotomie : art de tracer les formes à donner aux pierres en vue de leur assemblage.

Stylobate : soubassement portant une colonnade.

Thyrse : bâton coiffé d'une pomme de pin et entouré de vignes et de lierre, que portaient les bacchantes.

Transept : nef transversale qui coupe la nef maîtresse d'une église, et lui donne la forme symbolique d'une croix.

Triglyphe : ornement de la frise dorique.

Tympan : espace triangulaire entre la corniche et les deux rampants d'un fronton.

Voûte : ouvrage de maçonnerie cintré fait de pierres spécialement taillées, servant en général à couvrir un espace en s'appuyant sur des murs, des piliers ou des colonnes.

Voûte en cul de four : voûte dont le plan est un segment de cercle.

Bibliographie

Alfieri, Massimo, *Il complesso del Priorato all Aventino*,
Piranesi nel luoghi di Piranesi, Rome, 1979.

Bacou, Roseline, *A propos des dessins de figures de Piranèse*,
Brunel, *Piranèse et les Français*,
actes du colloque, Paris, 1978.

Bettagno, Alessandro, *Piranesi : Incisioni-Rami-Legature-Architetture*,
catalogue de l'exposition du bicentenaire, Neri Pozza Editore, Vicence, 1978.

Brunel, Georges, *Piranèse et les Français*,
actes du colloque, Paris, 1978.

Conard, Serge, *De l'architecture de Claude-Nicolas Ledoux
considérée dans ses rapports avec Piranèse*,
Brunel, *Piranèse et les Français*,
op. cit. supra.

Egyptomania,
catalogue de l'exposition, ed.RMN, Paris, 1994.

Erouard, Gilbert et Mosser, Monique, *A propos de la 'Notice historique sur la vie et
les ouvrages de J.-B. Piranesi' : origine et fortune d'une biographie*,
Brunel, *Piranèse et les Français*,
op. cit. supra.

Focillon, Henri, *G.B. Piranesi*, Paris, 1963 (1918).

Hind, Arthur, *Giovanni Battista Piranesi : A critical study with a list of his published works and detailed
catalogues of the Prisons and Views of Rome*,
Londres, 1978 (1922).

Junod, Philippe, *Tradition et innovation dans l'esthétique de Piranèse*,
Etudes de Lettres, Lausanne, 1983.

Keller, Luzius, *Piranèse et les romantiques français*,
Paris, 1966.

Oechslin, Werner, *Pyramide et sphère. Notes sur l'architecture révolutionnaire
du XVIIIe siècle et ses sources italiennes*,
Gazette des Beaux-Arts, Paris, avril 1971.

Pane, Roberto, *Paestum nelle acqueforti di Piranesi*, Milan, 1980.

Piranèse et les Français 1740-1790,
catalogue de l'exposition, Rome, Dijon, Paris, 1976.

Piranesi architetto,
catalogue de l'exposition, American Academy, Rome, 1992.

Pressouyre, Sylvia, *La poétique ornementale chez Piranèse et Delafosse*,
Brunel, *Piranèse et les Français*,
op. cit. supra.

Stampfle, Felice, *Giovanni Battista Piranesi. Drawings in the Pierpont, Morgan Library*.
Dover Publ., NY, 1978.

Stillman, Damie, *Chimney-pieces for the English Market :
A thriving Business in Late Eighteenth-Century Rome*,
Art Bulletin, Londres, mars 1977.

Tafuri, Manfredo, *Il complesso di Santa Maria del Priorato sull'Aventino, Piranesi :
Incisioni-Rami-Legature-Architetture*,
op. cit. supra.

Wilton-Ely, John, *Giovanni Battista Piranesi : the Polemical Works*,
Farnborough, 1972.

Wilton-Ely, John, *Vision and design : Piranesi's 'fantasia' and the
Graeco-Roman controversy*,
Brunel, *Piranèse et les Français*,
op. cit. supra.

Wilton-Ely, John, *The Mind and Art of Piranesi*,
Londres, 1978.

Wilton-Ely, John, *Piranesi as Architect and Designer*,
NY, 1993.

Yourcenar, Marguerite, *Le cerveau noir de Piranèse*,
Sous bénéfice d'inventaire, Paris, 1978.

Table des illustrations

Illustrations de la préface :

Portrait de Piranèse. Giraudon, Paris : p. 4

Frontispice, *Invenzioni capric. di Carceri* (Focillon 24).
British Museum, Londres : p. 6

Page de titre, *Vedute di Roma.* RIBA, Londres : p. 11

Dessin préparatoire de «La Basilique à Paestum».
Sir John Soane's Museum, Londres : p. 13

Frontispice du Tome II, *Antichità Romane* (Focillon 24).
ENSBA, Paris : p. 15

Second frontispice de *Il Campo Marzio dell'Antica Roma.*
ENSBA, Paris : p. 16

L'abside de Saint-Jean-de-Latran. Avery Architectural and
Fine Arts Library, Columbia University, New York : p. 18

Santa Maria del Priorato. Scala, Florence : p. 20

Dessin préparatoire, *Vue de Paestum.*
Sir John Soane's Museum, Londres : p. 25

Liste des planches :

Arc de Septime Sévère (Focillon 809), *Vedute di Roma.*
Médiathèque, collections iconographiques, Metz : p. 26

Frontispice (Focillon 2), *Prima Parte d'Architetture e Prospettive.*
Médiathèque, collections iconographiques, Metz : p. 28

**Prison obscure avec potence pour le supplice des
malfaiteurs** (Focillon 4), *Prima Parte d'Architetture e Prospettive.*
Médiathèque, collections iconographiques, Metz : p. 29

Temple antique (Focillon 17), *Prima Parte d'Architetture e
Prospettive.* Médiathèque, collections iconographiques, Metz : p. 30

Vestibule d'un temple antique (Focillon 12),
Prima Parte d'Architetture e Prospettive.
Médiathèque, collections iconographiques, Metz : p. 32-33

Vestiges d'édifices anciens (Focillon 5),
Prima Parte d'Architetture e Prospettive.
Médiathèque, collections iconographiques, Metz : p. 34

Capitole antique (Focillon 9),
Prima Parte d'Architetture e Prospettive.
Médiathèque, collections iconographiques, Metz : p. 35

Fantaisie architecturale, Pierpont Morgan Library, New York : p. 36

Pont magnifique avec loggias (Focillon 7),
Prima Parte d'Architetture e Prospettive.
Médiathèque, collections iconographiques, Metz : p. 39

Salle à l'usage des anciens Romains (Focillon 8),
Prima Parte d'Architetture e Prospettive. Médiathèque,
collections iconographiques, Metz : p. 40

Aspect d'un atrium royal (Focillon 11), *Prima Parte d'Architetture
e Prospettive.* Médiathèque, collections iconographiques, Metz : p. 41

Mausolée antique (Focillon 14), *Prima Parte d'Architetture e
Prospettive.* Médiathèque, collections iconographiques, Metz : p. 42

Chambre sépulcrale (Focillon 18), *Prima Parte d'Architetture e
Prospettive.* Médiathèque, collections iconographiques, Metz : p. 43

p. 44 : **Vue du Corso, du Palais de l'Académie instituée par
Louis XIV, roi de France** (Focillon 739), *Vedute di Roma.*
Médiathèque, collections iconographiques, Metz

p. 46 : **Vue du Campo Vaccino** (Focillon 803), *Vedute di Roma.*
Médiathèque, collections iconographiques, Metz

p. 47 : **Plan d'un vaste collège** (Focillon 121), *Opere Varie.*
Médiathèque, collections iconographiques, Metz

p. 48 : **Etude pour la «Partie d'un port magnifique»**
Statens Museum for Kunst, Copenhague

p. 49 : **Partie d'un port magnifique à l'usage des anciens Romains**
(Focillon 122), *Opere Varie.*
Médiathèque, collections iconographiques, Metz

p. 50 : **Dépendances de thermes antiques** (Focillon 126), *Opere Varie.*
Médiathèque, collections iconographiques, Metz

p. 52 : **Intérieur de palais.** Louvre, Paris

p. 54 : **Prison imaginaire, pl. VII, 2e état** (Focillon 30), *Invenzioni capric.
di Carceri.*
Médiathèque, collections iconographiques, Metz

p. 55 : **Prison imaginaire, pl. VII, 1er état** (Focillon 30), *Invenzioni capric.
di Carceri.* British Museum, Londres

p. 58 : **Prison imaginaire, dessin préliminaire pour la planche VIII.**
Hamburger Kunsthalle, Hambourg

p. 59 : **Prison imaginaire, pl. VIII** (Focillon 31), *Invenzioni capric. di Carceri.*
Médiathèque, collections iconographiques, Metz

p. 61 : **Idea d'un atrio reale** (Focillon 131), *Opere Varie.* Médiathèque,
collections iconographiques, Metz

p. 62 : **Dessin préparatoire de la planche XIV,** *Invenzioni capric.
di Carceri.* National Gallery, Edinburgh

p. 63 : **Prison imaginaire, pl. XIV** (Focillon 37)**,** *Invenzioni capric.
di Carceri.* Médiathèque, collections iconographiques, Metz

p. 64 : **Prison imaginaire, pl. III, 2e état** (Focillon 26), *Invenzioni capric.
di Carceri.* RIBA, Londres

p. 66 : **Prison imaginaire, pl. V, 2e état** (Focillon 28), *Invenzioni capric.
di Carceri.* RIBA, Londres

p. 68 : **Vue de l'intérieur de la basilique Saint-Paul-Hors-Les-Murs**
(Focillon 792), *Vedute di Roma.* Médiathèque,
collections iconographiques, Metz

p. 69 : **Le Colisée, vue à vol d'oiseau** (Focillon 758), *Vedute di Roma.*
Médiathèque, collections iconographiques, Metz

p. 70 : **Vue intérieure du Panthéon d'Agrippa** (Focillon 763),
Vedute di Roma. Médiathèque, collections iconographiques, Metz

p. 72-73 : **Vue intérieure de la Villa Mécène,** *Vedute di Roma.*
Médiathèque, collections iconographiques, Metz

p. 74 : **Ruines du temple du dieu Canope** (Focillon 844),
Vedute di Roma. Médiathèque, collections iconographiques, Metz

p. 76-77 : **Vue de la villa Barberini** (Focillon 740), *Vedute di Roma.*
Médiathèque, collections iconographiques, Metz

p. 78-79 : **Vue de la villa de l'éminentissime cardinal
Alessandro Albani** (Focillon 853), *Vedute di Roma.*
Médiathèque, collections iconographiques, Metz

p. 81 : **Vue en perspective de la grande Fontaine de Trevi** (Focillon 734),
Vedute di Roma. Médiathèque, collections iconographiques, Metz

p. 83 : **En tête du tome I des** *Antichità Romane.*
Médiathèque, collections iconographiques, Metz

Second frontispice, tome III (Focillon 287),
Antichità Romane. ENSBA, Paris. : 84

Second frontispice, tome II (Focillon 225), *Antichità Romane*.
Médiathèque, collections iconographiques, Metz : p. 86

Vue du sépulcre dit de Néron (Focillon 299),
Antichità Romane. ENSBA, Paris : p. 88

Urnes, cippes et vases funéraires (Focillon 279),
Antichità Romane. Médiathèque, collections iconographiques, Metz : p. 90-91

Plan du mausolée de Cecilia Metella (Focillon 331),
Antichità Romane. Médiathèque, collections iconographiques, Metz : p. 92

Tombeau de Cecilia Metella, méthode de construction
(Focillon 335), *Antichità Romane*. Médiathèque,
collections iconographiques, Metz : p. 93

Vue du pont Fabrizzio (Focillon 351), *Antichità Romane* T. IV.
Médiathèque, collections iconographiques, Metz : p. 94

Coupe du pont Fabrizzio (Focillon 355), *Antichità Romane*
T. IV. ENSBA, Paris : p. 95

Vue de la pyramide de Caius Cestius (Focillon 322),
Antichità Romane T. III. Médiathèque, collections iconographiques, Metz : p. 96

Ostie, Déversoir de la Cloaca Maxima dans le Tibre
(Focillon 934), *Della Magnificenza ed Architettura de'Romani*.
Médiathèque, collections iconographiques, Metz : p. 97

Scénographie du Champ de Mars (Focillon 437),
Il Campo Marzio dell'Antica Roma.
Médiathèque, collections iconographiques, Metz : p. 98

Ichnographia (plan) (Focillon 440, V, 1re feuille),
Il Campo Marzio dell'Antica Roma. ENSBA, Paris : p. 99

Scénographie du Panthéon (Focillon 476 b), *Il Campo Marzio
dell'Antica Roma*. Médiathèque, collections iconographiques, Metz : p. 100

Vue de la façade de la basilique Saint-Jean-de-Latran
(Focillon 724), *Vedute di Roma*.
Médiathèque, collections iconographiques, Metz : p. 101

Vue intérieure de la basilique Saint-Jean-de-Latran
(Focillon 726), *Vedute di Roma*.
Médiathèque, collections iconographiques, Metz : p. 102

**Dessin de présentation du premier état d'aménagement
du chevet de Saint-Jean-de-Latran. Coupe longitudinale
du mur sud.** Avery Architectural and Fine Arts Library,
Columbia University, New York : p. 104

**Dessins de présentation du troisième projet de
Saint-Jean-de-Latran. Plan et coupe longitudinale
du mur sud.** Avery Architectural and Fine Arts Library,
Columbia University, New York : p. 105

**Dessin de détail de la partie centrale de la colonnade du
déambulatoire de Saint-Jean-de-Latran, vue depuis le
mur ouest de l'abside.** Avery Architectural and Fine Arts Library,
Columbia University, New York : p. 106

**Dessin du dernier projet pour l'abside de
Saint-Jean-de-Latran. Section longitudinale du mur nord
montrant le chœur, le transept et l'entrée de la nef.**
Avery Architectural and Fine Arts Library, Columbia University, New York : p. 107

Place des Chevaliers de malte et mur d'enceinte du prieuré.
Alinari-Anderson-Giraudon : p. 108

Prieuré des Chevaliers de Malte, portail d'entrée. Alinari-Giraudon : p. 109

p. 110 : **Santa Maria del Priorato, façade de l'église.**
Gabinetto Fotografico Nazionale, Rome

p. 111 : **Dessin de la façade d'origine de la chapelle
(dessin anonyme).** Sir John Soane's Museum, Londres

p. 112 : **Détail d'une colonne.** Gabinetto Fotografico Nazionale, Rome

p. 113 : **Nef de Santa Maria del Priorato.**
Gabinetto Fotografico Nazionale, Rome

p. 114 : **Autel de Santa Maria del Priorato.**
Gabinetto Fotografico Nazionale, Rome

p. 116 : **Décor sculpté de la voûte de Santa Maria del Priorato.**
Gabinetto Fotografico Nazionale, Rome

p. 117 : **Frontispice des** *Osservazioni sopra la Lettera di M. Mariette*.
Médiathèque, collections iconographiques, Metz

p. 118 : **Planche VIII,** *Parere su l'Architettura* (Focillon 961).
Médiathèque, collections iconographiques, Metz

p. 119 : **Planche XVIII de la** *Magnificenza* (Focillon 946).
Médiathèque, collections iconographiques, Metz

p. 120 : **Planche VI,** *Parere su l'Architettura* (Focillon 979).
Médiathèque, collections iconographiques, Metz

p. 121 : **Planches XVI et XIX,** *Magnificenza*.
Médiathèque, collections iconographiques, Metz

p. 122 : **Cheminée de marbre du banquier John Hope.**
Rijskmuseum, Amsterdam

p. 123 : **Cheminée dessinée par Piranèse pour le banquier John Hope,
planche II** (Focillon 862), *Diverse Maniere d'adornare i Cammini*.
Médiathèque, collections iconographiques, Metz

p. 124 : **Cheminée, pl. XXIII** (Focillon 883), *Diverse Maniere d'adornare
i Cammini*. Médiathèque, collections iconographiques, Metz

p. 125 : **Cheminée à l'égyptienne, pl. X** (Focillon 870),
Diverse Maniere d'adornare i Cammini.
Médiathèque, collections iconographiques, Metz

p. 126 : **Photo de la console pour le cardinal Rezzonico.**
Institute of Arts, Minneapolis

p. 127 : **Planche des** *Diverse Maniere d'adornare i Cammini*
illustrant la console pour le cardinal Rezzonico. RIBA, Londres

p. 129 : **Décor mural du café des Anglais, pl. XLV,**
Diverse Maniere d'adornare i Cammini.
Médiathèque, collections iconographiques, Metz

p. 130 : **Vase dit «Vase Warwick»** (Focillon 602). *Vasi, Candelabri, Cippi*.
Médiathèque, collections iconographiques, Metz

p. 132 : **Vase** (Focillon 635), *Vasi, Candelabri, Cippi*. ENSBA, Paris

p. 133 : **Vase** (Focillon 670). *Vasi, Candelabri, Cippi*.
Médiathèque, collections iconographiques, Metz

p. 134 : **Candélabre ornant le tombeau de Piranèse à
Santa Maria del Priorato** (Focillon 715), *Vasi, Candelabri, Cippi*.
Médiathèque, collections iconographiques, Metz

p. 136-137 : **Vue de ce qui reste de Pesto** (Focillon 583),
*Différentes vues de quelques restes de trois grands
édifices de Pesto*. Médiathèque, collections iconographiques, Metz

p. 138-139 : **Vue du temple de Neptune** (Focillon 592),
*Différentes vues de quelques restes de trois grands édifices
de Pesto*. Médiathèque, collections iconographiques, Metz

Imprimé en Italie par Artegrafica SpA